VEGE BOOK
Eat Your Vegetables!

Cafe **Eight**

LITTLE MORE

Contents

04-09	**INTRODUCTION** イントロダクション
10-11	**WHAT IS VEGAN ?** ヴィーガンとは？
12-15	**THIS IS CAFE EIGHT** ここがカフェエイトです
16-30	**THE STORY OF VEGAN CAFE** ヴィーガンカフェストーリー
31	**MORE ABOUT VEGAN** ヴィーガンに関するいろいろなこと
32-115	**RECIPE** レシピ

SALAD
サラダ (34-41)

GRAINS
穀物 (42-49)

SOUP
スープ (50-57)

VEGAN'S STANDARD 1 - SEASONING
ヴィーガンズ・スタンダード1／常備しておくと便利な調味料(58-59)

VEGETABLES
野菜(60-69)

VEGAN'S STANDARD 2 - TOFU
ヴィーガンズ・スタンダード2／豆腐の仲間を使い分ける(70-71)

TOFU
豆腐(72-79)

SANDWICH
サンドイッチ(80-87)

PASTA
パスタ(88-93)

VEGAN'S STANDARD 3 - SAUCE & DRESSING
ヴィーガンズ・スタンダード3／ソース＆ドレッシング(94-99)

VEGAN'S STANDARD 4 - NOODLE
ヴィーガンズ・スタンダード4／麺(100-101)

NOODLE
麺類(102-107)

DESSERT
デザート(108-115)

116-126	**EAT YOUR VEGETABLES !** ちゃんと野菜を食べなさい!

On the Beach

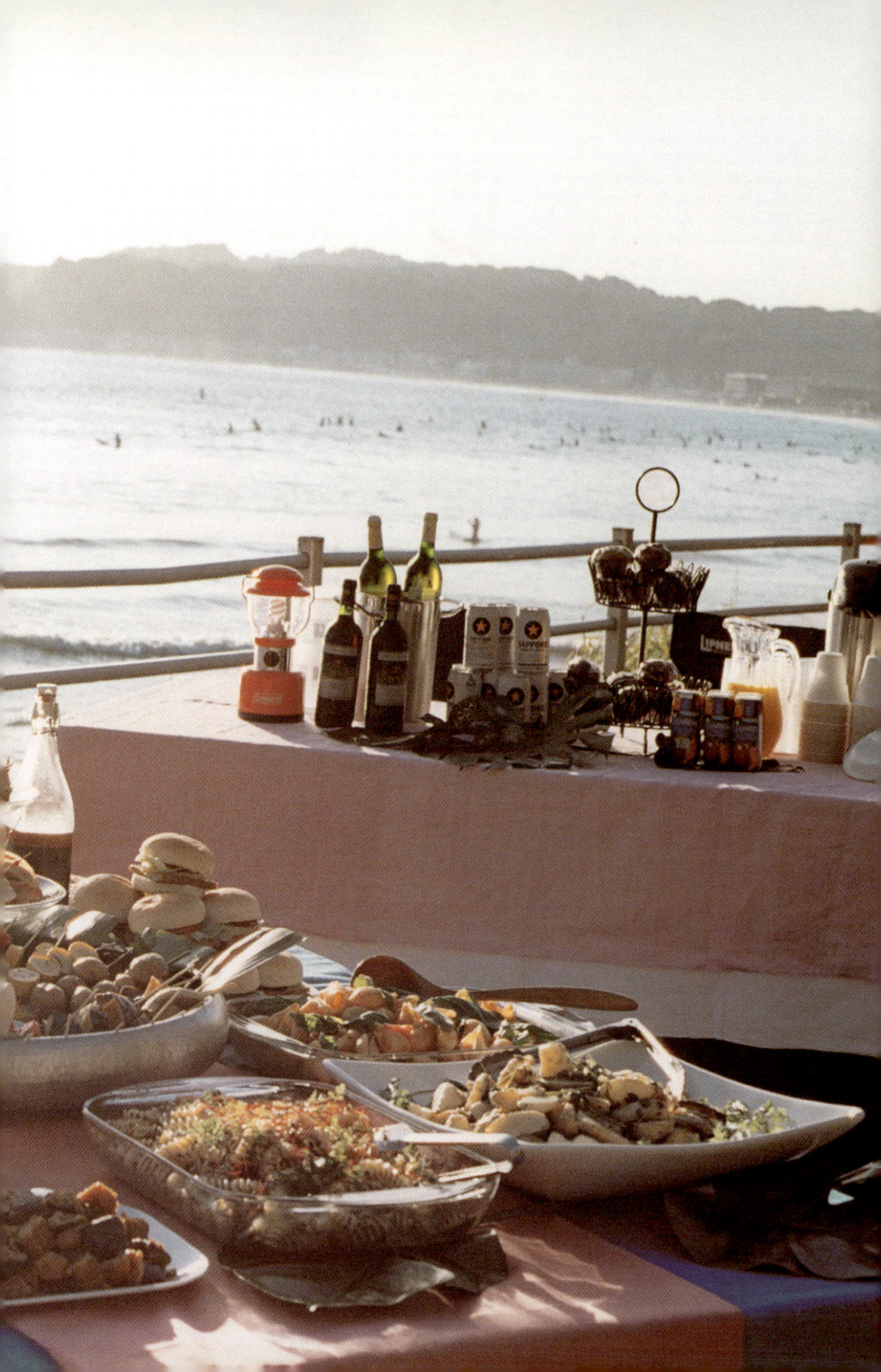

PATAGONIA BEACH PARTY@KAMAKURA AUGUST 7TH 2006
カフェエイトのケイタリングによるパタゴニア社のビーチパーティー。仕事を終えたスタッフやその家族の方たちが集まりました。大手アウトドアブランドのパタゴニア社では、海外から訪れるアスリートたちをヴィーガンフードでもてなします。国際的アスリートにはヴィーガンやベジタリアンがたくさんいるのです。夕陽の美しかったこの日、パーティーのあとは社長自らスタッフを誘ってサーフィンへ。

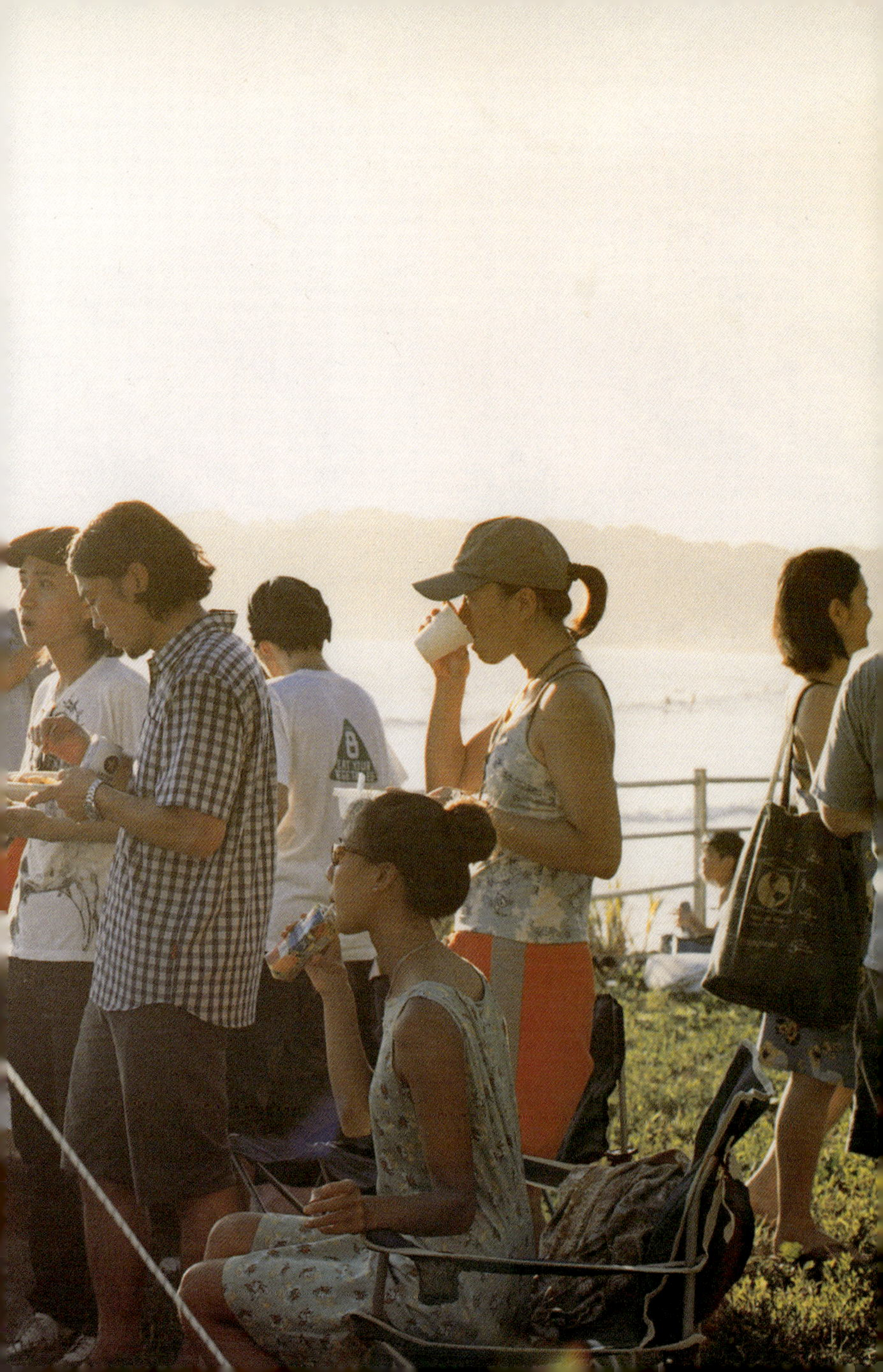

パーティーを彩るこのひと皿は37ページでご紹介しているグリルドベジタブル。クシに刺して盛り付けすれば
テーブルが艶やかになり、余計な食器もいらないパーティーフードに早変わり。

この日のデザートは、ニューヨークスタイルのトーフチーズケーキとアジアンスイート春巻き(115ページ参照)、
ピーナッツバターとバナナのスイートサンド。どれも人気で一瞬にしてなくなりました。

What is Vegan?

VEGAN(ヴィーガン)という言葉、聞きなれない方が多いかもしれません。ベジタリアンという言葉はご存知かと思いますが、実はベジタリアンには色々な種類があり、多くの場合は卵や乳製品など一部の動物性食品を食べます。ヴィーガンとはそれらの動物性食品を一切食べず、野菜や豆・穀類を中心とする純菜食主義者のことです。

最近はヴィーガン向けの食品も増え、欧米を中心に実践者が年々増加しています。一方で「そんなストイックな食生活なんて大変じゃない?」と言う人もたくさんいます。ヴィーガンフードは「味気ない」「物足りない」と思われているようです。しかし、そうでもありません。限られたシンプルな食材でも、驚くほどおいしい料理を作ることができます。ヘルシーであることはもちろん、色々な体質、色々な国や宗教の人、みんなが共有できるユニバーサルでポジティブな食のスタイル、それがヴィーガンフードです。

この本では、ヴィーガンカフェ、カフェエイトの考え方、ライフスタイル、そしてレシピの数々をご紹介します。

目黒区青葉台にあるカフェエイト。'04年まで営業していた南青山とはうって変わり、住宅街の中にひょっこり建っています。ご近所の会社員の方、お子さま連れのお母さん、なかには遠くから毎日通う常連さんもいます。テイクアウトもできます。

Aobadai, Meguro

KING of SNACK
Cafe Eight
ORIGINAL
OKARA
Karinto
630yen

KING of SNACK
Cafe Eight
ORIGINAL
NUTS, MAPLE SIRUP + NATURAL SALT
Natty Nuts
630yen

店内にはテイクアウト用のオリジナルスイーツや、グッズの販売コーナーも。メニュー黒板はスタッフの手描き。
上の写真はギフトで人気の高いヨガクッキー。

The Story Of Vegan Cafe

Reiko Kiyono

清野玲子（右：料理と音楽、サーフィンが趣味。湘南在住）
川村明子（左：食べることと部屋の模様替えが趣味。この1年ほどは、ほぼヴィーガン。都内在住）。有限会社ダブルオーエイト（デザイン会社）と有限会社カフェエイトを経営。趣味もライフスタイルも正反対だが、好奇心と行動力のレベルが同じ。

ヴィーガンカフェストーリー
文・清野玲子

青山から始まったヴィーガンカフェ、カフェエイト

　2000年の10月、根津美術館のある南青山の閑静な一角で、カフェエイトは始まりました。インテリアショップのビルの3F、きらびやかなファッションビルが立ち並ぶブロックからは少し離れたところでした。

　ダブルオーエイト（008）というデザイン会社を営み、アートディレクションを生業とする私たちは、飲食業に関してはまったくの素人。店づくりの右も左もわかりませんでしたが、私たちなりの方法で店をつくることにしました。青山という立地とその街をとりまく人々、カフェエイトのコンセプトとその理想的な在り方….など、まるでひとつの広告をデザインするかのように、自分たちのイメージを構築していきました。

　当時は、ヴィーガンという言葉はおろか、ベジタリアンやオーガニックといった言葉すらほとんど耳にすることがなく、果たして自分たちがつくろうとしている「菜食の店」が受け入れてもらえるかどうか、不安がなかったといえば嘘になります。それほど当時はまだ「菜食」に対する偏見が根強かったのです。それでも私たちは、デザイナーという視点を利用すれば、カフェエイトのコンセプトを具現化するのは、なんとかなるはずだという妙な確信を持っていました。

　ヴィーガンフードであることをあえて説明せず、オーガニック野菜や玄米など素材に対するこだわりも誇示しない。とにかく、おいしくて居心地の良い、誰もが楽しめるカフェを目指しました。

カフェエイトができて最初につくったポストカード。巨大なニョッキの生地の中にホウレン草で「8」をつくった。

キャッチフレーズは、"EAT YOUR VEGETABLES!"

　すべてのメニューをヴィーガンフードで構成するカフェエイトが対象としているのは、すでに菜食を実践しているベジタリアンやヴィーガンの人だけではありません。むしろ日頃野菜が不足しがちな人、あるいはその自覚すらないような忙しい人などです。

　キャッチフレーズである"EAT YOUR VEGETABLES!"は「ちゃんと野菜を食べなさい！」という意味。世界中のお母さんがこどもに言い聞かせるようなこの言葉に、きっと多くの人が懐かしさを覚えるでしょう。家族の健康を気づかうお母さんの愛情が現れています。

　オープン当時、外食産業界はどちらかといえばカフェエイトとは逆の発想でした。客単価が高く、調理の手間もあまりかからない肉類をメインにして、野菜料理はほんの少し、生野菜のサラダにハムやベーコンがトッピングしてある程度。「ちゃんと野菜を食べなさい！」どころか「万が一食べたかったらどうぞ」という感じだったかもしれません。

　カフェエイトが生み出す料理は、幼かった頃に、母親がなんとか野菜を食べさせようとあの手この手で工夫を凝らしてくれた、家庭料理の発想をヴィーガンフードに融合させたものが基本。つまり、身体に悪いものを省いたり、代用品に差し換えたりする"消去法"のヴィーガンフードではなく、良いものを選んだ結果たどりついたという"ポジティブ"なヴィーガンフードなのです。使う素材も然り。無理をせず、できるだけ新鮮で安全な素材を選ぶようにしました。

料理写真を使ったショップカードを何種類もつくり、ストイックではないヴィーガンフードの世界を伝えようとした。想像以上に好評でコレクターがいたほど。

ベストではなく、ベターを心掛ける

　まず取り組んだのは、メニューづくりと素材の調達。無理のない品数で構成し、つきつめすぎない程度にこだわりを持って材料を調達する。例えば、ごはんは無農薬有機栽培の玄米のみを使い、野菜は可能な限り無農薬のものを。そして調味料は、値段が高すぎない程度のナチュラルなもの、といった具合に。メニューのほとんどを農作物で構成するヴィーガンフードにおいて、素材そのものの味はとても重要です。だからこそ、本来であれば材料のすべてをオーガニック素材で揃えたいところですが、日本には"四季"というものがあり、台風もあれば霜も降りる。しかも、オーガニックの農園が今ほど多くなかったため、カフェの営業をしていくには物理的な制限がありました。だから私たちは「ベスト」ではなく「ベター」を心掛け、メニュー構成に取り組みました。

　その発想のきっかけをくれたのは、仕入れのために最初に訪れた農園のご主人でした。カフェエイトの企画書を携えた私たちに、採れたてのさつまいもを振る舞いながら、畑や有機肥料に関する説明を丁寧にしてくれました。最後に私が「農薬を使わずに野菜を育てるコツはなんですか？」と質問したところ、ご主人はにこりと笑って「諦めが肝心」と一言。そして、「敷地に対する生産量にこだわると、苗を詰め込んで植えることになる。それで苗が病気になったり虫に食われたりすると、次々に伝染するから農薬が必要になる。ゆとりをもって苗を植えておけば病気も移らないし、虫がついたらその苗は虫に与えればよい。神経質になっていたら続けられないよ」と。半ばやっきになって素材探しをしていた私たちは、その一言で「無理をしない、ゆとりの精神」を学んだのでした。

SPINACH & TOFU	**CARROT & ORANGE**	**TOMATO & BASIL**	**KIDNEY BEAN**	**BREATH OF GREEN FAIRY**	
Lemon Spinach, Tahini, Tofu, Garlic, 7 Grains Loaf	Carrot, Coriander, Orange, Thyme, Cumin, Yomogi Loaf	Tomato, Basil, Olive Oil	Kidney Bean, Tomato, Ginger, Negi	Edamame	

GRILLED VEGE. TOWER — Eringi, Shiitake, Carrot, Potato, Eggplant, Asparagus

BROCCOLI FOREST — Broccoli, Mashed Potato

GREEN TORTILLA PINWHEELS — Shiso, Miso, Walnut, Cashew Nut, Sesame

TOMATO BASKET — Couscous, Parsley, Black Pepper

ENDIVE BOAT — Tofu Blue Cheese, Sage, Tofu, Lemon, Tahini, Pear

GREEN MOSS CHOCOLATE ROCKS!! — Chocolate, Green Tea, Fig, Nuts

GREEN GODDESS — Green Pepper, Broccoli, Green Bean, Zucchini

PINEAL QUICHE — Spinach, Broccoli, Zucchini

パーティーフードを考案していたときのスケッチ。メニューもデザインする感覚で、イラストを描きながら考えることが多い。

ヴィーガンフードもエンターテインメント

　ヴィーガンフードのカフェであることを特に明記していなかったカフェエイトに、必要不可欠だったのは「純菜食料理」ではなく、とにかく「おしゃれでおいしい料理」。ヴィーガンである私と、お肉も乳製品も普通に食べる川村。この2人が営むヴィーガンフードの飲食店においては、川村のような普通の食生活をしている人に、純菜食を意識させない料理を作ることがすべての基準であったと言っても過言ではありません。川村が「おいしい!」というまで何度も試作と試食を繰り返しました。味付けはもちろんのこと、その盛り付けや全体の彩り、メニューの名前に至るまで「やっぱり菜食だから」というネガティブな印象を与えないよう、それぞれ検証しました。

　例えば海外のレストランでは、日本ではありえないボリュームに驚いたり、馴染みの素材の意外な調理法に感心したりと、食欲を満たすこと以外にも楽しさがあります。そんな楽しさをヴィーガンフードに加えることによって、ちょっとした旅行にでも出かけてきたような気分を味わってもらえたら、と考えたのです。そこで、メニューには世界中の料理を取り入れました。イタリアのオーソドックスなパスタ、アメリカンサイズのサンドイッチ、日本からは納豆を、といった具合に。また、宗教上ベジタリアンの多いインドや中近東諸国の伝統料理など、もともとのレシピがヴィーガンであるものも積極的にメニューに加えています。きっとそれらのメニューに共通するコンセプトがヴィーガンであるとは知らずに楽しんでいたお客様もオープン当時は多かったはずです。

CAFE EIGHT'S ORIGINAL BREAD
オープン以来、根強いファンが多いカフェエイトオリジナルのパン。北海道在住の専属ベイカー"Ramaci"（ラマシー）がレシピを考案し、地元の素材などを使って独創的なパンをつくる。種類は毎月変わるが、どれも手づくりの天然酵母と力強い小麦の味が主張しおいしいと評判。カフェエイトに欠かせない「顔」のひとつ。

PURE CAFE
表参道駅からすぐのところにあるピュアカフェ。朝8:30から営業しており、自家製グラノーラなどの朝ごはんも充実。夜はオーガニックワインでディナーも楽しめる。
http://www.pure-cafe.com
TEL 03-5466-2611

さらにカジュアルに。ピュアカフェ誕生

　カフェエイトがオープンしてから1年半たった頃に、BSEのニュースが世界中を駆け巡りました。また、牛乳や鶏肉など、動物性食品の安全性が問われる出来事も相次ぎ、社会が食全般における安全性に注目し始めます。それと同時に、「オーガニック」や「野菜」というキーワードが頻繁に目に付くようになりました。そして必然的にカフェエイトにも注目が集まるように。さらに1年後、世の中には「スローフード」をうたう雑誌や書籍が急増し、この頃から確実に「菜食」のネガティブな印象が消え、逆に積極的に取り上げられるようになりました。

　そして2003年の9月、日本初上陸を果たしたアメリカの有名オーガニックコスメブランド「AVEDA」直営店の1Fに、ピュアカフェが誕生しました。AVEDAからの依頼を受け出店に踏み切ったのは、ヴィーガンフードやエコロジーを意識したカフェエイトのコンセプトと、オーガニックの植物性素材で製品づくりをするAVEDAのコンセプトに共通点があったからです。カフェエイト1店舗だけでは伝えきれない自分たちのメッセージを、ピュアカフェというもうひとつのヴィーガンカフェをつくることでより伝えやすくなるのではと考えたのです。

　ピュアカフェのコンセプトは「destress」。私たちの環境を取り巻く、さまざまなストレスから解放されていくプロセスを体感してもらえるような空間づくりを目指しました。品数を増やすことで選ぶ側が必要以上に迷ったり、作り手がストレスを感じたりしないよう、メニューは至ってシンプルに。忙しい人にも短い時間で「ベターな食事」をしていただけるよう、カジュアルなセミ・セルフスタイルのカフェにしました。

ヴィーガンにこだわった、その理由

　「なぜヴィーガンフードのカフェをつくったのですか？」カフェエイトの取材を受けると、まずそう尋ねられます。そこで私が答えるのは「ほかに無かったからです」の一言。しかし、厳密に言うとヴィーガンフードのお店は他にもありました。いわゆる自然食レストラン、仏教に由来する精進料理のお店や完全菜食の中華料理店などです。しかし「ヴィーガンやベジタリアンでない人でも居心地の良い"菜食"レストラン」はありませんでした。

　世の中にはいろいろなベジタリアンがいます。肉類は食べないけど卵や乳製品は食べるという人、そのどちらも食べないけど魚は食べる人、牛肉や豚など「赤い肉」は食べないけど鶏肉や魚などの「白い肉」は食べる人など。マクロビオティックもベジタリアンの一種であるといえます。そしてベジタリアンと同様、ヴィーガンにもいろいろな種類があります。

　カフェエイトやピュアカフェが提供する料理のように、とにかく動物性食品を食べないというベーシックなヴィーガン。さらに、蜜蜂の体内を通してつくられる蜂蜜も摂らない人。「五葷（ごくん）」と呼ばれる香味野菜（ねぎ、にんにく、にら、らっきょう、あさつき）を摂らない人や、土の中に育つ根菜類を食べない人（これらは仏教の教えからくる宗教上の理由だそうです）。フルーツやナッツだけを食べるフルータリアン。ちなみに、近頃アメリカを中心に急激に広まっている「ローフード」、つまり加熱することを避け、生に近い状態のものだけを食べる食事でも、乳製品を食べるタイプ、ヴィーガンタイプ、肉や魚を食べるタイプ、といろいろあるようです。

　これらそれぞれの「食」のスタイルが生まれてきた理由や、それを選択する動機は人それぞれです。ヒンズー教やイスラム教、仏教、一部のキリスト教など宗教上の理由からくるもの、ダイエットやデトックスのように身体的健康上の理由によるもの、精進のような精神的健康上の理由によるものなど。また、身体的な理由で食事制限を余儀なくされている人もたくさんいます。卵・乳製品などに対するアレルギーのある人や糖尿病、痛風などの成人病を抱える人たちです。

　このように、社会にはいろいろな理由による食のスタイルが存在します。しかしここで挙げたすべてのスタイルは社会的には「少数派」であると認識されています。だからこそ、この少数派のためのレストランが密かに存在はしていても、いわゆる普通の食生活をおくる多くの人々には注目されず、その両者が共存できるレストランは無かったのではないでしょうか。逆を言えば、多数派の人たちが少数派の人たちの食事を試してみたいと思っても、そのチャンスはあまりなかったかもしれません。

　私たちがヴィーガンフードを選んだ理由は、「多数派」の人はもちろん、「少数派」の人たちでもメニューに比較的選択肢の幅がある、"公約数的"な食のスタイルであるからです。

私が少数派である理由

　カフェエイトの経営者である私と川村は、「少数派」と「多数派」のコンビ。その2人がお互いに気兼ねなく食事を楽しめる場所というのがカフェエイトの原点。では、なぜ私が「少数派」であるのか。これもまたよく質問を受けます。

　どういうわけか私は生まれつきのベジタリアンでした。牛肉や豚肉が食べられないのです。アレルギーとも違い、とにかく食べられない。肉の味とにおいが耐えられないのです。親は至って普通だというのに幼い頃は、卵も牛乳もだめでした。当然大人たちには「ひどい偏食」だと言われ、それを治すべく、母親はいろいろな"手"を使って私に肉を食べさせようとしました。おかしなことに、当時は食事のたびに（カフェエイトのキャッチフレーズとは反対に）「ちゃんとお肉を食べなさい」と叱られたものです。

　普通なら、この偏食も小学校から始まる学校給食によって「矯正」されるはずでした。ところが私が通った小学校は給食がなかったため、私はベジタリアンをほぼ貫くことができたのです。「ほぼ」と書いたのは、ときどきお弁当に入れられていた母親特製の鶏肉の唐揚げや鶏肉のハンバーグに限っては食べることができたから。そしてさらに、中学生のときは校舎の立て直しのため給食室がなく、3年間お弁当生活になったのでした。間違いなく当時から少数派であった私は、幸か不幸か、それを矯正される経験もろくにないまま、高校、大学を経て社会人になりました。

「とにかく肉が食べられない人」

　社会に出てからは外食の機会も増え、自分が少数派であることを思い知らされることになります。当時私はベジタリアンという言葉をほとんど聞いたことがなく、自分自身がベジタリアンだという自覚もありませんでした。周囲からも「とにかく肉が食べられない人」と認識されていたようです。ただ、料理が好きだった私は、大学時代から、自分では食べない肉料理も友達を集めては積極的に作っていました。肉料理は手っ取り早いし、"料理をしている実感"がわいて楽しかったのです。そして社会人になって間もなく、もともと好きだった写真と料理、この2つを一度に勉強できるという理由から料理撮影専門の会社へ。これがのちに"料理熱"を高めていくきっかけになります。

　そこでは一流シェフの仕事や、和洋中に至る、いろいろなレストランを見る機会がたくさんありました。そこで植物性、動物性に限らずさまざまな食材に興味を持った私は、チャンスがあれば、撮影で余った材料をもらって帰っては家で研究し、ときには会社の厨房で大人数の"まかない"を作ったのです。そんなときはよく、「肉入りカレー」と「野菜カレー」を作り、好きな方を選んでもらいました。社外の人も参加するこの"まかない"で、大抵の人は「肉入り」を選びますが、まれに「お肉が苦手だから」と「野菜カレー」を選ぶ人がいて、少し嬉しく思ったりしたものです。

デザインと料理がつなぐ人の輪

　料理撮影専門の会社に勤め、なかなか普段出会えない食材を知ったり、一流の料理人たちの仕事ぶりを目の当たりにしたことで、学んだものはとても大きなものでした。それはのちに川村と立ち上げたデザイン会社ダブルオーエイトでたびたび行っていた宴会で大いに役立ちます。その宴会は、通称"割烹・きよの"。文字どおり私がすべての献立を決めて調理をし、取り引き先の方や友人などさまざまな人をもてなす、というものでした（ちなみに川村の役目はホスト）。そしてこの宴会こそがカフェエイトのきっかけとなります。

　割烹・きよのへ集う人たちにベジタリアンはいませんでしたが、野菜ばかりの献立はむしろ好評で「こういうお店をつくったらいいのに」という声が少なくありませんでした。集う人の年齢や性別、嗜好に合わせてその都度献立や演出を考えるのは、料理というよりもデザインの感覚に非常に良く似ています。カフェをつくろうとしたときに抵抗なく取り組めたのは、その発想があったからかもしれません。

いろいろな人が集う宴会のための料理は、単に空腹を満たすためのものと違い、参加する人たちの好みを想像したり、会話のきっかけになるような華のあるメニューを考えたりと、調理以外にやることもたくさん。一度参加した人が次に友だちを誘うなどしてどんどん輪が広がっていった。

ベジタリアンからヴィーガンへ。

　ダブルオーエイトを立ち上げて間もない頃から私たちは、少し資金ができると「ものづくり」をしていました。最初は食器。江戸吹き硝子の職人さんとのコラボレーションで食器ブランドをつくり、ニューヨークの百貨店で販売しました。日本人の繊細な感覚が見事に生かされている吹き硝子を、単なる工芸品で終わらせず、ひとつのデザインプロダクトとして評価してもらいたいという想いから始めたプロジェクトでした。

　その後も資金ができると照明や家具など、定期的にものづくりを続けました。そしてある仕事でプロモーションビデオのアートディレクションをしたことをきっかけに、今度は映画をつくることに。短編の自主制作映画とはいえ、それまでのものづくりとはケタが違います。関わる人間の数も、動くお金の額も、そして制作全般にかかる労力も想像を超えていました。いつものように、ひょんなことから始めたとはいえ、気がつけばプロデューサーという立場、どういう状況にせよ、もう後戻りはできません。

　1月以上も寝不足が続く中、編集作業などが行われ、疲労はピークに。気力で身体は動くものの、次々と目の前に立ちはだかる難題をクリアするための精神力はわずかにあるばかり。いろいろな人のそれぞれの意見に悩まされたり、協力してくれるはずだった人の都合が合わなくなったりと問題も山積み。悩みに悩んだ私は、とにかく"身体をちゃんとする"ことにしました。以前知人から聞いていた「動物性のものを食べなくなると、健康になるし気持ちのアップダウンも少なくなるよ」という言葉を思い出したのです。もともとベジタリアンであったし、さほど抵抗はありませんでした。そしてそこから私のヴィーガンライフが始まりました。

オリジナル食器ブランド「三(SAN)」は江戸吹き硝子の職人さんとのコラボレーションで実現した。高年齢の職人さんにもわかりやすいように、デザインは図面ではなく、水墨画で提示した。はじめから海外を意識し、すべてのデザインに「無」「雪」「虎」など漢字一文字の名前をつけていた。

大人になってわかった、こども時代のこと

　いざヴィーガンになってみると、世の中の食べ物には動物性の素材を含むものがとても多いということに気がつかされました。知らず知らずのうちに、パッケージに貼られている成分表示をチェックするくせが付き、今度は添加物が気になりだしました。その多さといったら!

　それからというもの「買い食い」をほとんどしなくなりました。ヴィーガンになり始めてすぐの頃は、やたらとお腹が空いて、買い食いできなくて困りましたが(ちなみに事務所の真向かいはコンビニです)。毎日自炊をし、お弁当を持つようにはしていましたが、それでもお腹が空く。そこで私はバナナやナッツを携帯するようにし、空腹にそなえておきました。

　魚や卵、乳製品は食べていたものの、お肉は食べていなかったので、ヴィーガンになってもそれほど変化はないかもしれないと思っていたのですが、実際それらを抜いてみると、お肉でなくとも消化の負担になっていたのだということに気づきました。

　ヴィーガンになってから実家を訪れたときのこと、私が作った昆布ダシの味噌汁を不思議そうに食べながら、父がこう言うのです。「お前は生まれたときから、母乳も飲まなかったからなぁ」と。その話は初耳でした。

　驚いて、どういうことかと聞いてみると、産まれたての私が母の母乳を飲んだのは初めの1ヶ月ほど。あるときから私は、乳児であるにも関わらず母乳をかたくなに拒むようになり、困った母はあらゆる粉ミルクを試したそうです。ところが粉ミルクもなかなか飲まない。ようやく飲んだあるメーカーの粉ミルクも、少し経つとまた拒むように。困り果てた母が私に与え始めたのは、なんと豆乳でした。乳児だった頃の私は、豆乳だけを飲むヴィーガンベイビーだったのです。

　その話に興味を持った私は、粉ミルクについて調べてみました。すると、市販されている粉ミルクのほとんどにラードが使用されていたのです。そうでないものにも脱脂粉乳が入っています。さらにおもしろいのは、私の母はお肉が好きだったということ。きっと乳児だった私は、母の母乳に含まれるお肉の成分や、粉ミルクに含まれるラードなどのにおいと味が嫌だったに違いありません。

　ヴィーガンとして、生活を続けていると自分の味覚や嗅覚が研ぎ澄まされていくことに気がつきます。市販の加工食品を食べなくなったせいか、魚のダシに代表される動物性成分はもちろん、添加物や化学調味料の味も敏感に感じるようになります。歳を重ねるごとに、いろいろな食べものと出会い、味覚の幅が広がることは、食べる楽しみが増えていくことではありますが、同時に微妙な味(特に添加物など)に気づくことができない鈍感さを増していくことになるかもしれません。事実、私自身がそうだったのですから。ヴィーガンになったことで私は、"産まれたて"とまではいかなくとも、敏感な味覚と嗅覚を取り戻し、違った意味での楽しみを増やすことができたように思います。

ヴィーガンフードは楽しい！

　仕事で帰りが深夜になることも多く忙しい私が、食べるものに制限の多いヴィーガンの食生活を続けられたのには、いろいろな理由があります。

　まず、体調が変わったこと。変化には個人差があり、あくまで私の身に起こったことですが....第一に疲れにくくなりました。もともと腎臓が弱かった私は、疲れやすい体質でした。寝不足になるとひどい脱力感に襲われて何ごとにもやる気が起きなくなってしまう。ヴィーガンになって、それがなくなりました。

　また、昔、皮膚炎になったときの名残りで黒ずんでいた皮膚がきれいになったり、筋肉がつきやすくなったりといった変化が身体に表れました。食事の量はむしろ以前よりも増えましたが、体重の増減はほとんどなくなりました。

　興味深いのは爪にあらわれた変化です。ヴィーガンになる前は薄く剥離しやすかった手の爪が、食事を変えてから驚くほど厚く、丈夫になりました（これはこの1年ほど、ほぼヴィーガンに近い食生活をしている川村もまったく同じでした）。

　それら体調の変化がヴィーガンを続けられた理由のひとつですが、それだけではありません。なんといっても、ヴィーガンフードの魅力にハマってしまったことが一番の理由だといえます。

　ヴィーガンになる前に使っていたバターやチーズなどの乳製品やダシ入り調味料、オイスターソース、ナンプラーなど、料理の味の幅を広げたり深みを出すための素材のほとんどは、動物性由来であるため使わなくなりました。そうして冷蔵庫の中がどんどんすっきりしていく様子を見ているのは気持ちがいいくらいでした。

　使える素材が限定されると、それだけに、そのひとつひとつの可能性を最大限に引き出そうという気持ちがわいてきます。なんと言うか、素材に対する「姿勢」が変わり、それぞれに含まれる味の多様性や旨味の特徴を上手に活かした料理をするようになりました。調味料の代わりにハーブやスパイスをよく使うようにもなり、素材本来の味を引き立てることが身についてきました。同じ種類の野菜を使っても、季節や産地によって味や水分量が異なるため、まったく同じレシピでつくった料理がまるで別物になる、そんなおもしろさにもハマってしまったのです。

　そうやって作ったヴィーガンフードは、決して味気ないものではありませんでした。前述したような調味料で味付けをされた"上辺だけ"の味とは違う、不思議なおいしさがあるのです。うまくは表現できませんが、食べたときに舌で感じるおいしさではなく、身体全体で感じるおいしさと言えばいいのか、食べたあと、なんとも言えない幸福感に包まれるのです。

　その不思議なおいしさや、それがもたらす幸福感を他の人にも味わってもらいたくて、友だちを呼んでは腕を振るったり、ときには鍋ごと持参して友人宅を訪れたものです。みんなの驚く顔や喜ぶ様子を見ていると、さらに楽しくなるのでした。

2000 - 2004 / CAFE EIGHT
オープン当初は店内の壁面に巨大なピカソの写真が貼られていた。窓から見える根津美術館の緑が東京とは思えない緩やかな時間をつくっていた。

(外観)インテリアショップ、タイムアンドスタイル・エグジステンスのビル。2000〜2004年末までカフェエイトはこのビルの3Fにあった。

Photo: Kozo Takayama

ヴィーガンカフェの誕生

　私がヴィーガンになってからカフェエイトを誕生させるまで、実はたった1年足らずのことでした。"割烹・きよの"の常連さん(正しくはクライアント)であったインテリアショップ、タイムアンドスタイルの吉田社長から「清野さんだったら青山でどんな飲食店をやる?」と聞かれて「ヴィーガンフードのカフェをやります」と即答したことがきっかけでした。そこからカフェエイトの誕生まではあっと言う間。ヴィーガンになり、その良さを実感した反面、世の中の食の在り方に対して疑問を強く感じ始めていたことから、半ば勢いでつくったとも言えます。映画を経験したことで、すっかりたくましくなっていた私と川村にとって、それは"ものづくり"の一環だったのです。

　私たちがイメージしていたのは、イタリア料理や中華料理、ベトナム料理といった外食の選択肢があるように、そこにヴィーガンフードという新たな選択肢を加えるということ。お肉や魚は他の店へ行けばいくらでも食べられる。野菜を食べたいときには、とにかくここ(カフェエイト)に来れば間違いない、そんなカフェをイメージしていました。

さまざまな人が集まるカフェ

　初めの頃は不馴れでお客様に迷惑をかけてしまうこともありました。ヴィーガンフード以前の問題です。オープン当時、実際キッチンに入って調理を担当した私は、初めての"現場"に右往左往。それでも、足を運んでくれる人が徐々に増えていきました。そのほとんどはヴィーガンフードだと知らずに来ている人でした。

　お客様との会話の中でお肉や卵、乳製品を使っていないのだと説明をすると、驚く人や「だからここのご飯はたくさん食べても胃がもたれないんだ」と納得する人が少なくありませんでした。また外国人にはベジタリアンが多く、常にアンテナを張っている彼らはどこかでカフェエイトのうわさを聞きつけてはやってきて「フィッシュもデイリー（卵・乳製品のこと）も使わないの？　すばらしいねえ」と手放しで喜んでくれます。そんな彼らの情報網が知らせたのか、海外から日本を訪れるヴィーガンのミュージシャンやクリエイターも数多く訪れるようになりました。

　ワインと食事を楽しみにやってくる人、カフェエイトのパンが大好きな人、ベジタリアンの人、ヴィーガンの人、国籍も食生活もさまざまな人が自然に集まって、思い思いに食事を楽しむ様子が、時を重ねるごとに当たり前の風景になっていきました。

　そして現在、青山から中目黒へ場所を移し、またその風景が定着しはじめています。オープン当時と今では、「菜食に対する偏見」も、世の中の"食"の在り方も随分変わりましたが、カフェエイトはこれからも「ちゃんと野菜を食べなさい！」と言い続けていきたいと思っています。

2006 - / CAFE EIGHT
2006年2月、目黒区の青葉台に場所を移して再オープンしたカフェエイト。デリコーナーやカウンター席があり、青山時代とはまた違うのんびりとした空気が流れる。テイクアウトも充実。http://www.cafe8.jp
TEL 03-5458-5262

Photo : Susumu Takago

オンラインストアもあり、本書のレシピで使っている食材の一部を販売しています。
http://store.yahoo.co.jp/onlinecafeeight

MORE ABOUT VEGAN

ヴィーガンに関するいろいろなこと

[ヴィーガンのこと]

◎動機でわけられるヴィーガンの種類

VEGANの直訳は「純菜食主義者」です。人によってヴィーガンになる動機はさまざま。ハリウッドセレブにも多い、動物愛護を目的とするヴィーガン。この場合は、食生活だけではなく、環境を取り巻くいろいろなものにおいて（例：洋服や家具）も革製品など動物由来製品を避けるようです。他に、環境保護（食用を目的とした家畜を育てるために費やされる膨大なエネルギーや資源に対するアンチテーゼ）を目的とする人、仏教でみられる精進料理のように宗教上の理由による人なども。最近は心身の健康を目的としたヴィーガンが世界的に急増しているようです。

◎向いている人・いない人

ヴィーガンライフを長く続ける場合、人によって向き・不向きがあると思います。私が生まれつき肉を受けつけなかったのと同様に、逆のこともあり得ます。ただ、現代の食生活の中では自分の身体が本来必要としているものと、そうではないものを見極めるのはとても難しいこと。視覚や習慣にまどわされず身体が必要としているものを選べるよう、一度身体をリセットしてみるきっかけとして、一定期間、ヴィーガンライフを取り入れることはとても良いと思います。ただしお肉をたくさん食べていた人が急にヴィーガンになると、体重が激減したり、体力が落ちたりするので、初めは牛肉を抜き次に豚肉も、など段階をふんでやってみることをおすすめします。

[栄養バランスのこと]

◎ビタミンB12

ヴィーガンは、ビタミンB12が不足しがちです。植物性の食べ物にはほとんど含まれていないからです。その中でもビタミンB12を微量に含む海藻類を日頃からよく食べるようにしましょう。

◎タンパク質

大豆加工食品を努めて摂りましょう。レシピの項でも紹介しているように、日本にはいろいろな大豆加工食品があるため、料理をするときに食感のバリエーションを持たせるのに便利です。また大豆タンパクは良質なプロテインを多く含むため、しなやかな筋肉を効率良くつける助けにもなります。

◎カルシウム・鉄分

野菜の中では小松菜や春菊、海藻ではひじきにたっぷり含まれています。ヴィーガンはカルシウムや鉄分が不足しがちだという説もありますが、これらの野菜をバランスよく取り入れれば、まず問題はありません。身体がシンプルになると、足りない栄養素を体内に保持したりつくったりする機能が働きだします。

[食べ物のこと]

◎グルテンミート

グルテンとは、大豆や小麦に含まれる植物性タンパク質のこと。これを利用してつくられるお肉の代用品がグルテンミートです。カフェエイトではあまり使いませんが、もし使う場合は、お湯を替えながら何度も湯でこぼしして、よく絞ると、独特の臭みがなくなります。

◎お砂糖のこと

ヴィーガンは、身体がシンプルになるため、刺激物を食べたときの反応もストレートに出やすくなります。白砂糖は、黒砂糖などに比べて精製されているため糖分が身体に吸収されやすく、血糖値の上昇・下降にダイレクトに影響を及ぼします。甘味を加えたい場合は、ミネラルや食物繊維を含む、黒砂糖やメープルシロップを使いましょう。血糖値への影響も緩やかになり、味もまろやかになります。

◎味と食感とコクのバランス

ヴィーガンライフを続けていくために欠かせないのはなんといっても自炊です。しかも、ちゃんと満足できるものを食べていなければ、継続は難しい。そこで覚えておきたいのは「味」「食感」「コク」のバランスです。シンプルな調味料でも、塩味／辛味／酸味／甘味／苦味を充分出すことができます。「食感」もとても大切。ある程度の歯ごたえがないと、たくさん食べても満腹中枢が満たされません。しっかり水を切り、火を加えた豆腐などでタンパク質特有の歯ごたえを加えたり、あえて野菜を硬めに仕上げるなど工夫することが大切です。「コク」は味・食感・脂質のバランス。オリーブ、ピーナッツ、なたね、ごまなど原料別に風味の違う油を使い分けることでバリエーションがでます。

◎食のアンテナ

一言にスーパーと言ってもお店ごとに得意分野が異なります。常に「アンテナ」を張って、野菜を買うときはここ、調味料はここ、乾物類はここといった具合に見極めておくと、素材の買い出しも楽しくなります。八百屋さんも同様で果物が得意な店、葉野菜がいつも新鮮な店、めずらしい野菜がある店など特徴があります。もうひとつおさえておきたいのはパン屋さん。日本のパンは卵や乳製品が含まれているものが多いので、小麦の味を活かしたヨーロッパ風のパンを取り扱うパン屋さんを探しておくと良いでしょう。

◎旅行

海外のレストラン、特に欧米ではベジタリアンやヴィーガンの認知度が高いため、予めメニューが用意されていることが多いですが、そうでなくてもお願いすると大概アレンジしてくれます。機内食は事前にヴィーガンメニューをオーダーしておきましょう。

Recipe

ヴィーガンフードを料理するときに大切なことは、素材を知ることです。どんな料理でも当たり前のことですが、野菜の場合は特に大切。それは単に素材に関する知識を貯えることとは違って、その日そのときに使う素材そのものを知ることです。同じ人参でも、産地や季節によって水分量も味も、サイズも違います。従って、同じレシピで料理をしても毎回味が違って当然というわけです。またとても興味深いことに、料理をしているときの"気持ち"でも味が違ってきます。イライラしながら作った料理と、誰かのために気持ちを込めて作った料理は、まるで別物です。

ここでご紹介しているレシピはどれも簡単にできる家庭料理。分量や火加減はあくまで目安だと思ってください。「人参1本」と書いてあっても、細くて小さい人参であれば2本、使う鍋の大きさや素材によって「中火」を「弱火」にする場合もあります。突然5〜6人分や7〜8人分のレシピがあったりするのは、そのぐらいの量で作った方がおいしくできるから。初めから完璧を目指さずに、同じ野菜、同じレシピと何度もつきあって自分の好きな味を見つけてください。おいしくするためにはどうしたら良いか、素材と対話をしながら料理をすれば、必ずおいしいひと皿ができるでしょう。

Salad

カフェエイトには、サラダのレシピが豊富にあります。動物性の素材やこってりした
ドレッシングを使わなくても、充分食べごたえのあるサラダを作ることができます。
サラダ＝生野菜&ドレッシングという固定概念を取り払えば、バリエーションも無限大に。

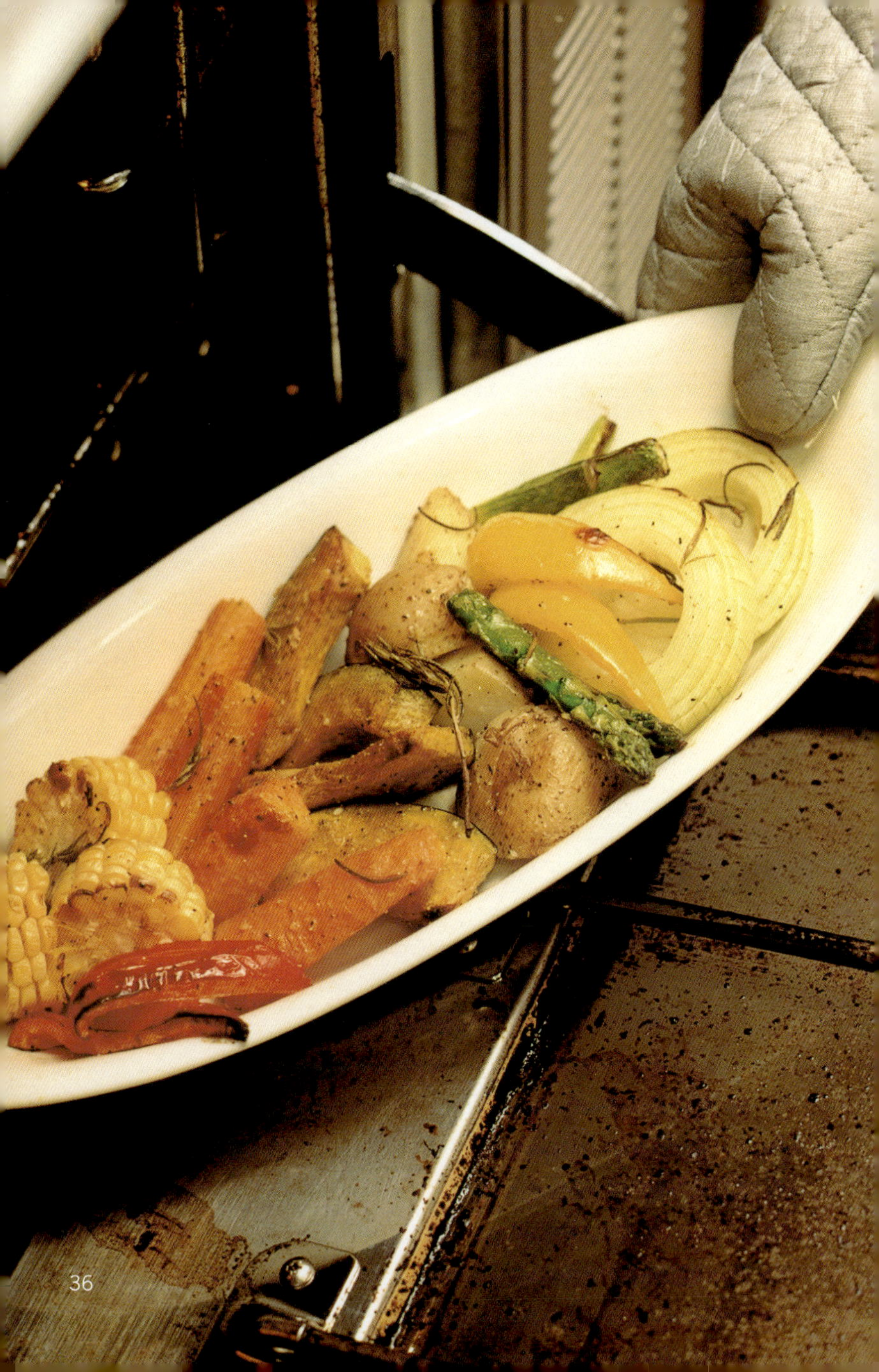

Grilled Vegetables
with Rosemary

グリルドベジタブル ローズマリー風味

冬に食べるサラダです。根菜や彩りの綺麗な野菜を好きなだけ、シンプルかつ大胆に調理します。熱々のお皿ごとテーブルに運べば、食卓がパッと華やいであたたかくなります。下ごしらえだけちゃんとして、あとは並べてオーブンに入れるだけ。食材の量とお皿の大きさを調節すれば、トースターでも大丈夫。

[材　料](2～3人分)
お好きな野菜各種(じゃがいもや里芋などの根菜、人参やかぼちゃなどの彩り野菜、アスパラガスや玉ねぎなど水分量の多い野菜をバランス良くミックスしてください。トレビスなど、少し苦味のある野菜を使ってもアクセントになります)／にんにく：ひとかけ／天然塩：2つまみ／オリーブオイル：大さじ2／ローズマリー：2房／ブラックペッパー：少々／レモン：1/8

[作り方]
根菜類など火のとおりにくいものは、硬めに塩茹でしておきます(目安は竹串を刺して、少し硬さを感じる程度)。じゃがいもは下記のように圧力鍋で蒸しておくともっちりしておいしくなります。それぞれの野菜に火が均等に通るよう、バランスの良い大きさにカットします(左写真参照)。耐熱皿の底に、縦2にカットしたにんにくの切り口をこすりつけるようにしてすり込み、さらにオリーブオイル大さじ1と塩ひとつまみを入れ、にんにくで皿全体にオイルを塗ります。そこにちぎったローズマリーを散らし、野菜を並べていきます(彩り良く、高さにばらつきが出ないように)。野菜の上からも塩ひとつまみと残りのローズマリーをまんべんなく散らします。きりふきで野菜の表面を軽く湿らせたら約200℃で10～15分ほどグリルします。トースターのように熱源との距離が近い場合はすぐに焦げてしまうので、フォイルで覆いしばらく蒸し焼きにします。最後に竹串で焼き具合をみて火が通っていたら、オーブンから取り出します。テーブルに運ぶ前にブラックペッパーを振り、レモンを添えたらできあがり。底にたまったオイルを野菜に付けながらいただきます。

じゃがいもは圧力鍋で蒸す。

火の通りにくいじゃがいもは、"圧力鍋で蒸す"のがおすすめ。もちもちに仕上がります。多めに蒸しておいて冷蔵しておけば色々な料理に役立ちます。"ラップをして電子レンジ"という方法が近頃はポピュラーですが、本物の火を使って調理したものには到底かないません。旨味を逃さない圧力鍋だったらなおさら。ぜひ、火で調理してください。

Spicy Seaweed Salad

スパイシー・シーウィード・サラダ

「シーウィード」とは"海の草"という意味。近頃は欧米でも海藻類の栄養価が注目を浴びていて「シーベジタブル」という呼び方に変わってきているとか。ヒジキをスパイシーに味付けしたこのサラダは、ヒジキをもりもり食べられる優れもので、カフェエイトのオープン時から人気の高い一品です。

[材　料]（2人分）
乾燥ヒジキ：ひとつかみ（生ヒジキの場合は2つかみ分）／赤玉ねぎ：1/4個／パプリカ：赤と黄色をそれぞれ1/4個／万能ネギ：1本／にんにくのみじん切り：小さじ1／しょうがのみじん切り：小さじ1／レモン：1/2個／オリーブオイル：大さじ1.5／醤油：大さじ2／水：1カップ／塩：ひとつまみ／カイエンペッパー：適量

[作り方]
乾燥ヒジキを水に20〜30分漬けてもどします。その間に赤玉ねぎ、パプリカを薄切りにします。赤玉ねぎはさっと水にさらします。万能ネギは斜め切り。もどったヒジキは水を切ります。熱したフライパンにオリーブオイルを入れ、弱火でにんにくとしょうがを焦がさないようにゆっくりと炒めます。そこへもどしたヒジキを入れ、中火にして全体に油がよく回るように炒めます。醤油と水を入れ軽く混ぜたら、フライパンにフタをして弱火で煮ます。ときどき全体をざっくり混ぜながら煮詰めていき、煮汁が少なくなったら味をみながら塩で調整します。あとで野菜を加えるので少し塩気を強めにしておきます。そこへカイエンペッパーを少しずつ、味をみながら加えていきます。カイエンペッパーはとても辛いのでお好みで調整してください。味の調整が終わったら、粗熱を取って常温程度まで冷まします。冷めたところに赤玉ねぎ、パプリカ、万能ねぎを加えて全体をざっくり混ぜます。最後にレモンを絞り、さらに混ぜたらできあがり。

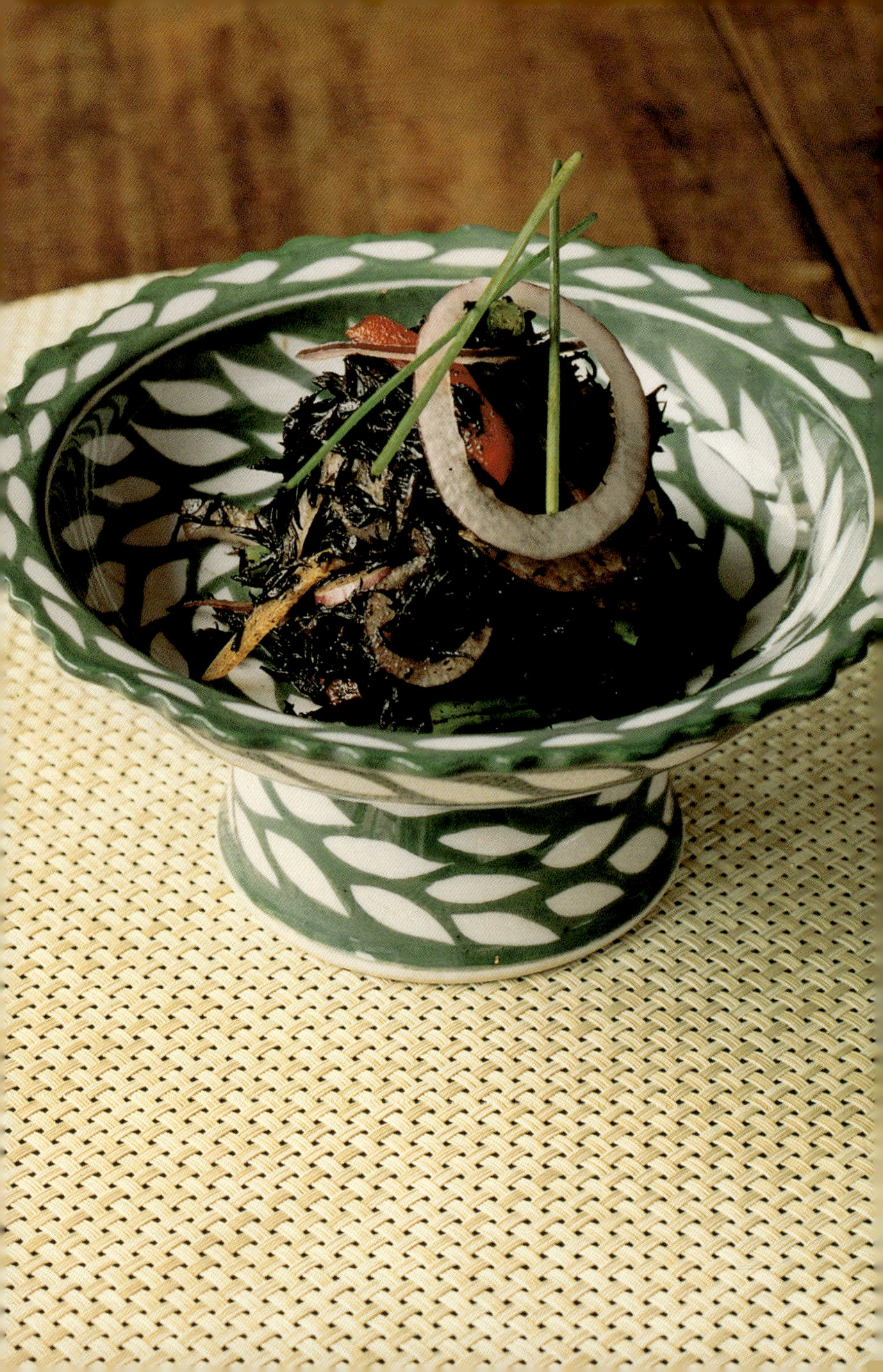

Shungiku & Mushroom

春菊ときのこのサラダ
ソイジンジャードレッシング添え

春菊は味、香り、歯ごたえともにヴィーガンレシピのバリエーションを広げるのにふさわしい葉野菜。このような個性的な野菜を「おいしい!」と感じられるようになったとき、自分の味覚の幅がぐんと広がったような気がして、少し優越感を覚えたりしませんか。このサラダはそんなサプライズもあるレシピ。だから、ボリューム感も盛り付けも豪快に!

[材　料](2～3人分)
春菊:1袋／しいたけのスライス:3個分／えのきだけ:1/2房／しめじ:1パック／長ネギのみじん切り:5cm分／なたね油:大さじ1／塩・ブラックペッパー:少々／醤油:小さじ2／ソイジンジャードレッシング:大さじ4
(レシピは97ページ参照)

[作り方]
春菊をよく洗い軽く水を切ったら、長さ4cm位に切ります。切った春菊をざるに入れ、同じ大きさのボールを上から重ねるなどして、水をしっかり切ります(水切り器があると便利です)。えのきは3cmくらいに切り、根元の方は房を細かく分けておきます(細かい方が炒めたときに水分が出にくい)。しめじも房を分けます。フライパンに油をしき、強火できのこを全部炒めます。少ししんなりしたら、塩をひとつまみとお醤油を入れすばやく炒めます。火を止める直前にブラックペッパーを振ります。お皿に春菊をしいて、その上に熱々のきのこを油ごとジャッと盛り付けます。トッピングにネギを振り掛け、ドレッシングを添えたらできあがり。お好みでドレッシングを和えながらいただきます。

Salad

Grains

穀　物

ヴィーガンにとって穀物は、ビタミンやミネラルを補充するための大切な食材です。理想は無農薬栽培の玄米を毎日炊いて食べたいところですが、調理時間が短く手軽に調理できるものや食感の異なるものなど、色々な穀物を取り入れていけば、ヴィーガンフードがより楽しくなります。意外に簡単に調理できるので、いざというときのために常備しておくのも良いかもしれません。

BROWN RICE
"玄米"

まるごと食べるお米なので、できるだけ無農薬栽培のものを選びましょう。理想は圧力鍋で炊くことですが、炊飯器でも慣れてしまえば簡単に炊けます。

COUSCOUS
"クスクス"

地中海沿岸から広まった小麦食品。セモリナ粉を加工したもので正確には穀物ではありませんが、とても簡単に、素早く調理できるのでヴィーガンには欠かせないアイテムです。

BULGUR WHEAT
"バルガーウィート"

地中海沿岸の穀物。挽きわり小麦をボイルし乾燥したもので、調理するときに洗う必要がなく簡単に炊けるので忙しい人におすすめ。プツプツした食感が楽しめます。

QUINOA
"キヌア"

アンデス地方の穀物。ミネラルやタンパク質が豊富。同量の水で炊くだけ。ご飯に混ぜたりスープに入れたりして使うと良いでしょう。

Fried Rice of Garlic & Celery

ガーリックとセロリのフライドライス

炒飯（チャーハン）というと中華料理のように聞こえるので、カフェエイトではあえて「フライドライス」と呼んでいます。セロリとにんにくと玄米だけ。ごくシンプルなレシピですがセロリの爽やかなかおりと玄米の相性が抜群。軽やかでおしゃれなフライドライス。セロリの苦手な人でも食べられます。

[材　料]（2人分）
玄米ご飯：茶碗2杯分／にんにく：ひとかけ／オリーブオイル：大さじ1／セロリの葉っぱ：5〜8枚／セロリの茎：8cmくらい／塩：ひとつまみ／お醤油：小さじ1／ブラックペッパー：適量

[作り方]
セロリの葉っぱを細かいみじん切りにします（他のお料理で残ったセロリの葉っぱを再利用するレシピなので、好きなだけ使いましょう）。にんにくはできるだけ薄くスライスし、熱したフライパンにオリーブオイルを入れ、ゆっくり火を通します。黄金色になったら一旦取り出し、強火にしたところへご飯を入れ炒めます。油をご飯全体になじませながら塩とセロリの葉っぱを何度かに分けて入れていきます。最後にフライパンのへりからお醤油を回し入れて全体を混ぜたらできあがり。ご飯を盛り付けたあとのフライパンを強火にし、セロリの茎を押し付けるようにして焼きます。ご飯に、最初のにんにくとセロリの茎をのせてテーブルへ。

タイム風味のクスクスとジャマイカンシチュー

このお料理は、ニューヨークを訪れた時に、そこに住むジャマイカ人の友達が作ってくれた料理を再現しています。マンハッタンのおしゃれなレストランをいくつも食べ歩いたのに、結局その友人が作ってくれたこのひと皿が、どんなレストランのお料理よりもおいしかったという思い出のお料理です。それを日本で入手できる素材でアレンジしました。夏の暑い日、エアコンの代わりにレゲエミュージックをかけながら作れば、気分はすっかりジャマイカン!です。

[材　料] (2人分)
しょうがのみじん切り:大さじ1／オリーブオイル:大さじ3／ドライorフレッシュタイム:小さじ2／ローリエ:2枚／人参:1本／じゃがいも(中):2個／玉ねぎ:1個／ピーマン:1個／なす:2本／キャベツ(大きめ):2枚分／トマト(大):4個／オクラ:6本／クスクス:1.5カップ／ターメリック:小さじ2／塩・チリペッパー・カレーパウダー:適量／バナナ:1/2本

[作り方]
オクラとトマト以外の野菜は全部3cm角の大きさにカット。なすは水にさらしてアク抜きをしておきます。深さのあるフライパンにオリーブオイル大さじ2杯を入れて、弱火でしょうがを炒めます。そこへ玉ねぎを入れて炒め、次に人参、なすを入れて全体を炒めます。なすの色が透けてきたら、中火にしてじゃがいもとキャベツを入れ焦げないように炒めます。少ししたらタイムと塩をひとつまみ加えて混ぜ、弱火にしてフタをします。
蒸している間にトマトをざく切りにし、クスクス用にお湯を火にかけます。
5分後フタを開け、切ったトマト、ピーマン、ローリエを加え、塩をもう少し、チリペッパーとカレーパウダーをお好みの量入れて混ぜ、もう一度フタをして中火で約5分火にかけます。その間に別の小さめの鍋に大さじ1杯のオリーブオイル、塩ひとつまみ、タイム少々を入れ強火にかけます。油が熱くなったところにクスクスを全部入れ混ぜながら軽く炒めます。そこへ、沸騰したお湯1.5カップとターメリックを入れすばやく混ぜます。混ざったらフタをして火を止めて10分蒸します。
シチューにオクラを入れ、フタをし弱火で5分煮ます。バナナを斜めにスライスして、油を引いたフライパンを強火で熱し表面に焼き色をつけます。シチューとクスクスを、それぞれざっくり混ぜて、盛り付け、バナナを添えたらできあがり。少なめの塩味にチリをピリっと効かせて食べるのがおすすめです。

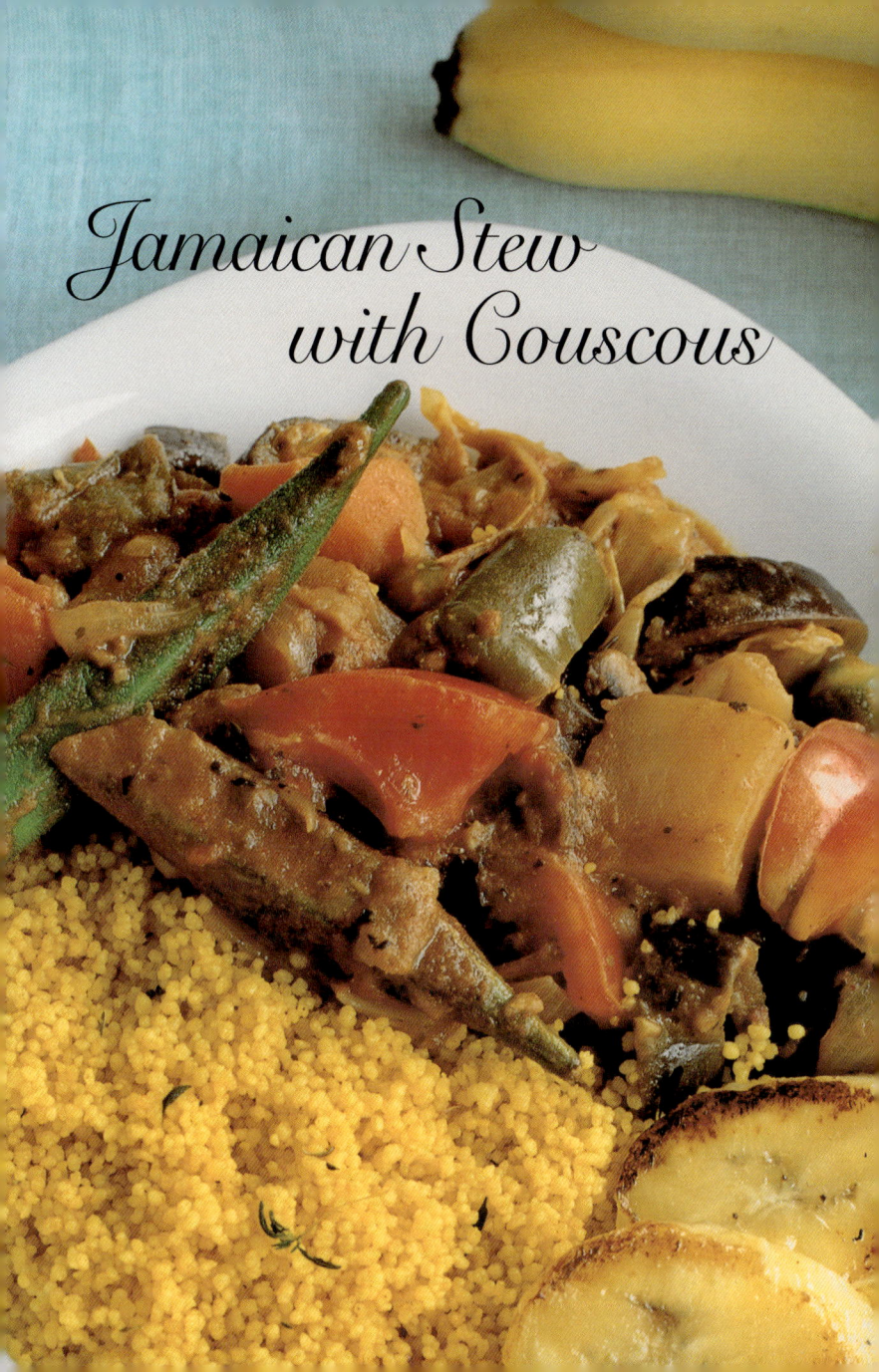

Jamaican Stew with Couscous

Bulgur wheat & Zucchini pilav

バルガーウィートとズッキーニのピラフ

いつもとは少し目先を変えて、バルガーウィートでピラフを作ります。バルガーはタンパク質やビタミンB群、ミネラルや鉄分が豊富で玄米の数倍も食物繊維を含んでいます。調理も簡単なのでおすすめです。バルガー自体日本だと入手しづらいのが難点ですが、その場合は玄米やクスクスで代用してみましょう。冷えてもおいしいです。

[材　料] (2人分)
バルガーウィート:1.5カップ／水:2.5カップ／しょうがのみじん切り:小さじ2／マッシュルームのみじん切り:2個分／ズッキーニ:1/3本／玉ねぎ:1/2個／レッドパプリカ:1/2個／とうもろこし:1/4本／オリーブオイル:大さじ1／塩:2つまみ／ブラックペッパー:適量

[作り方]
とうもろこしは包丁で身をそいでばらしておき、他の野菜はすべて1cm角にカットします。
フライパンにオリーブオイルを入れ、しょうが、玉ねぎ、マッシュルームの順にゆっくり炒めます。玉ねぎが透き通ったら、他の野菜と塩ひとつまみを入れて炒めます。次にバルガーを入れて全体に油が回ったら、残りの塩と水を入れてフタをし、中火で約15分ほど煮ます。汁気がなくなったらざっくり混ぜて最後にブラックペッパーを振ってできあがり。

写真のつけ合わせは、「キヌアととんぶりのタブリ風サラダ」。炊いたキヌアにパセリのみじん切り、とんぶりをほぼ同量で混ぜ、オリーブオイルと塩、レモン汁を振りかけました。バルガー料理には酸味のあるつけ合わせが良く合います。

Soup

GARLIC
国産品のにんにくは大振りで味も良いのでおすすめ。

わざわざ加工された固形(粉末)ダシや特別な素材を使わなくても、スープは簡単に作れます。ここでは、ヴィーガンのスープを作るときに便利で代表的な「ダシ素材」をご紹介。保存しやすいものばかりなので常備しておくと便利です。

[にんにく] 細かく刻み油で炒めることで、油になじんだ旨味と香りがダシに。使う油によって洋風にも中華風にもエスニック風にもなって便利。

[しょうが] しょうがのピリっとした辛味がアクセントになるだけではなく、ゆっくり火を通すことで独特の甘味を持つダシがとれます。にんにくは強すぎるというときにも便利。

[たまねぎ] 切り方や炒める時間の長さ、油の量によってさまざまなダシがとれる優れもの。

[しいたけ] 和・洋・中問わず良いダシになります。干ししいたけの戻し汁はグルタミン酸たっぷりのダシ、生を油で炒めれば、マイルドなダシに。舞茸やしめじ、マッシュルームなど、きのこ類はヴィーガンフードに欠かせません。

[昆布] そのまま水に一晩つけておくだけでも良し、とろ火でじっくり煮ても良し。時間のないときは小さくちぎってしまえば早くダシが出ます。味噌汁の必需品。ダシを取ったあとも、そのまま食べてしまうのがカフェエイト流です。

ONION
通常捨ててしまう「根」の部分もダシがとれます。

GINGER
季節によって色々ありますがダシには
ひねしょうがを使います。

SHIITAKE MUSHROOM
生しいたけの場合「いしづき」の部分で
良いダシがとれます。

KONBU
昆布の種類によってとれるダシの
濃度やコクが違います。

Winter Vegetables Miso Soup

冬の根菜ごま味噌汁

この味噌汁は、忙しい人にこそ作ってほしいお料理。多少手間はかかりますが、一度にたくさん作っておいて、食べるたびに必要なだけ温め、焼いた玄米餅を入れたら、身体が暖かくなって疲れた神経がときほぐれ、ホッとさせてくれます。何より冬を乗り切るのに必要な栄養素がしっかり取れるので風邪を引かなくなります。このレシピは、野菜を少しずつ炒めて旨味を引き出したり、調味料を何回かに分けて入れることで少しずつ味を染み込ませていくことがポイント。面倒ですが、上手にできたときの感動はひとしおです。

[材　料] (約5食分)
しょうがのみじん切り：大さじ3／木綿豆腐：1/2丁／ごぼう：1本／かぼちゃ：1/4個／人参：1本／大根：1/4本／長ネギ：1本／こんにゃく：1枚／生しいたけ：3個／ダシ昆布：20cm位を1本／ごま油：大さじ3／白すりごま：大さじ4／醤油：大さじ4／味噌：おたま1杯分程度

[作り方]
お豆腐は前の晩から重しをしてしっかり水切りをしておきます。こんにゃくを手で一口大にちぎり、鍋で水から煮ます。沸騰してから1分くらい煮立てたらざるにあけておきます。長ネギは3cmくらいに、他の野菜はやや大きめの一口大に乱切りにします。大きめの鍋を中火にかけてごま油を入れます。しょうがのみじん切りを大さじ2杯入れ、厚めにスライスしたしいたけと炒めます。

油がだいたい回ったら少し火を強めて、こんにゃく、ごぼう、人参を入れて炒めます（ときどき鍋ごとふって全体を混ぜるようにします。箸でかき混ぜると野菜にきずがつくのでダメ）。少ししたら大根を加えて中火に戻し、表面が少し透明がかってくるまでフタをして蒸し煮にします。水を野菜の頭から2cmくらいのところまで入れて弱火にします。ダシ昆布を1〜2cm幅程度に手でちぎるか、はさみで切りながら入れ、続けてお豆腐を手で一口大にちぎりながら入れます。フタをして5分ほどしたら醤油を大さじ1杯、もう5分したらまた大さじ1杯入れます。煮立ってきたらとろ火にし、残りの醤油大さじ2杯としょうがのみじん切り大さじ1杯、かぼちゃ、長ネギを入れフタをします。鍋がぐつぐつしてきたらフタを開け、味噌を溶き、白すりごまを入れます。最後に味の調整をしてできあがり、焼いた玄米餅を入れて食べるのがおすすめです。

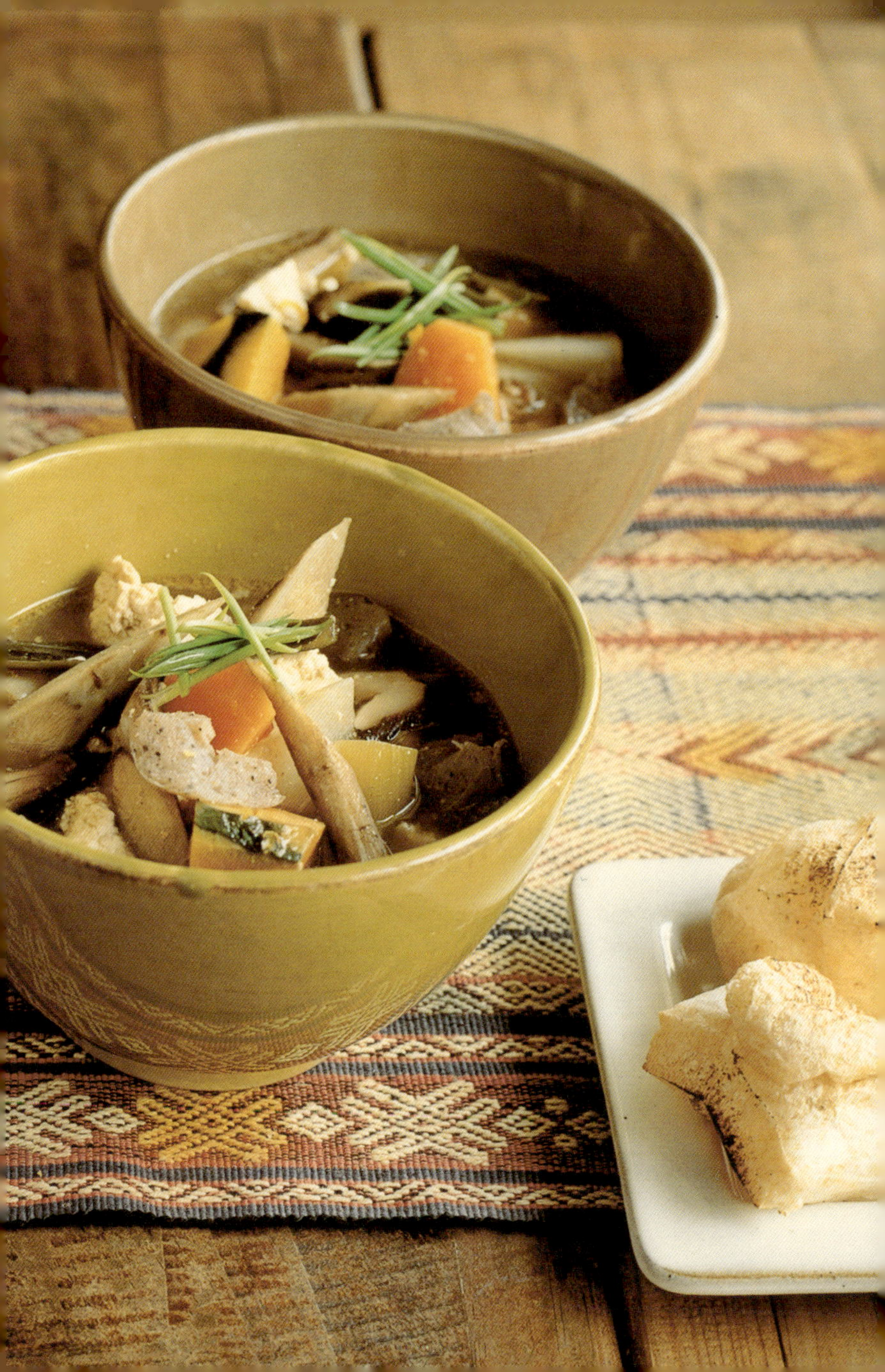

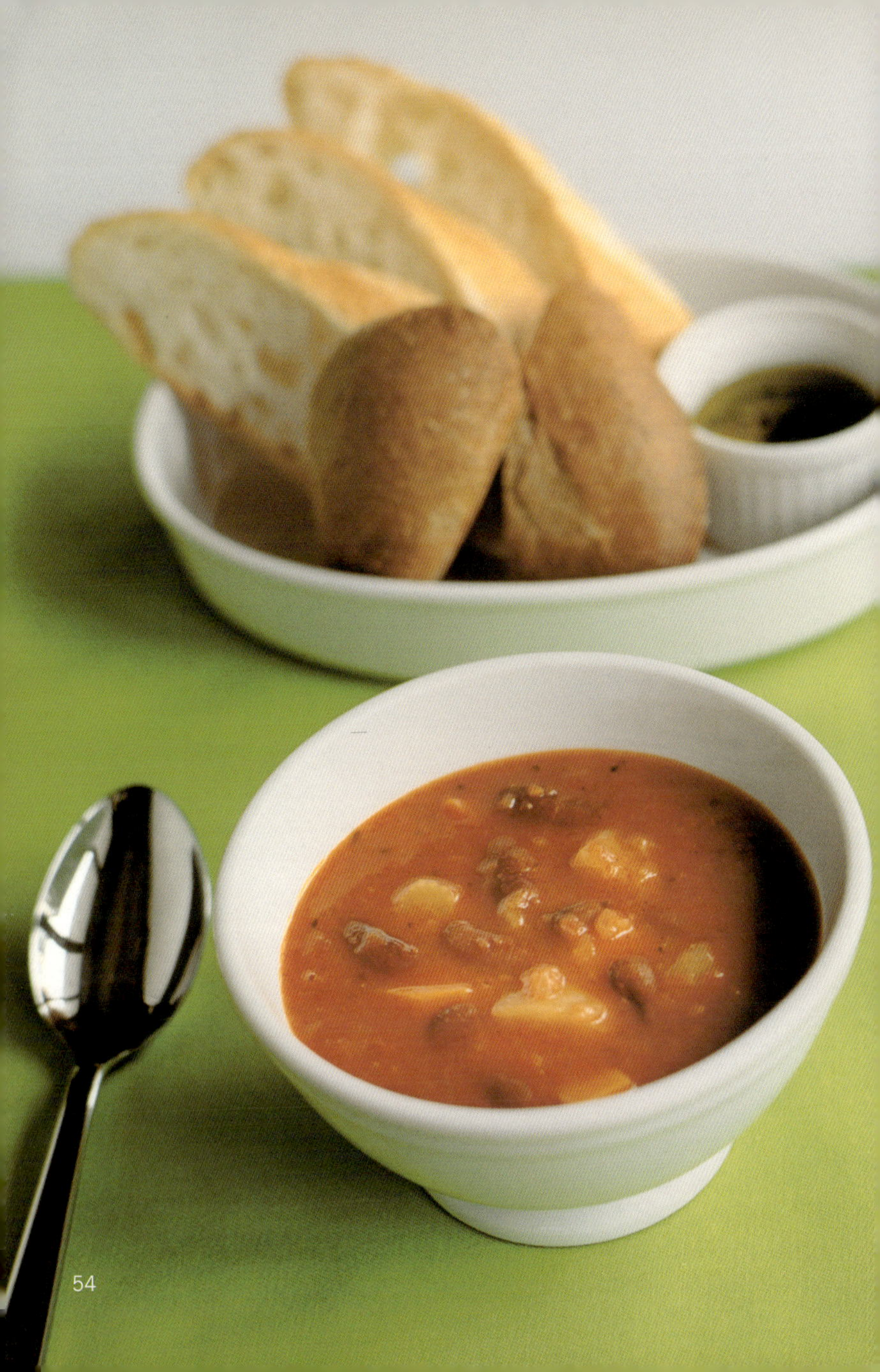

キドニービーンズのチリスープ

チリがピリっと効いて、身体の芯からあたたまるお食事スープ。クスクスなどにかけてシチューとして食べてもおいしい一品。キドニービーンズがしっかりしたコクを出してくれるので、お肉が好きな人にも人気です。

[材　料] (2〜3人分)
にんにくのみじん切り：大さじ1／じゃがいも：2個／玉ねぎ：1個／人参：1本／キドニービーンズ：2カップ／ホールトマト缶：1缶／チリパウダー：適量／タカの爪：1本／パプリカパウダー：小さじ1／ドライバジル：小さじ1／コリアンダーパウダー：ひとつまみ／ローリエ：2枚／塩：2つまみ／なたね油：大さじ1

[作り方]
キドニービーンズは頭が出ないくらいの水に一晩漬けてもどしておきます。それを漬けていた水ごと鍋に入れ、柔らかくなるまで煮ます。
玉ねぎと人参は1cm角に、じゃがいもは2cm角に切ります。鍋に油を入れ、タカの爪、にんにく、コリアンダーパウダー、ローリエを加えます。温まったら塩、ブラックペッパーを少々加え、玉ねぎ、人参、じゃがいもの順に炒めます。じゃがいもの表面が少し透明になったら、水を3カップとホールトマト1缶を入れて弱火で煮ます。ホールトマト缶は、予めボールに移し、手でトマトを潰しておくと調理しやすいです。
煮立ってきたら味をみながら、塩、チリペッパーで調整します。そこへキドニービーンズ（煮汁ごと）とドライバジル、パプリカパウダーを入れとろ火で20〜30分煮て、最後に味を整えてできあがり。

Kidney Beans Chili Soup

トマトとセロリ、マッシュルームのスープ

ブイヨンを使わずに野菜のダシだけでつくるシンプルなスープ。マッシュルームをじっくり炒めて旨味を引き出すのがコツです。ガーリックトーストやライ麦のパンと良く合います。

[材　料]（2～3人分）
しょうがのみじん切り：大さじ1／マッシュルーム（ブラウンでも可）：5～6個／セロリの茎：10cm分／玉ねぎ：1個／トマト（大）：2個／タイム：少々／ローリエ：2枚／オリーブオイル：大さじ2／塩・ブラックペッパー：適量

[作り方]
マッシュルームは4分割、玉ねぎ、セロリは1cm角に切ります。鍋にオリーブオイルと塩少々を入れ、中火でしょうがとマッシュルームをゆっくり炒めます。マッシュルームが縮んできたら弱火にし、玉ねぎとセロリを加え、玉ねぎが透明になってきたら水を4カップ入れます。中火にし、ローリエ、タイム、塩ひとつまみを入れて煮込みます。トマトをざく切りにし、煮立つ直前に塩ひとつまみといっしょに入れ5分程煮ます。最後に塩で味の調整をしてお好みでブラックペッパーを振ったらできあがり。

Tomato, Celery & Mushroom Soup

VEGAN'S S

ヴィーガンズ・スタンダード1［常備しておくと便利な調味料］

動物性の素材を使用しないヴィーガンフードでは、バターやラードももちろん使いません。大抵はなたね油やごま油、オリーブオイルを使用しますが、それだけでは出しにくいコクや風味を補うのに便利な調味料をご紹介。どれも保存がきくので常備しておくと便利です。

COCONUT MILK
［ココナッツミルク］

できるだけ無漂白のものを使いましょう。ココナッツミルクはデザートはもちろん、シチューやカレーなどの煮込み料理にコクや甘みを加えたいときに便利。ご飯に入れて炊けばバターライスのようなコクが。

NAYONAISE
［大豆マヨネーズ］

マヨネーズの代替え食品として。家でもお豆腐や豆乳から作ることはできますが、手間がかかるのでこのようなアイテムがあると便利です。ローカロリーなのでヴィーガンでない人にもおすすめ。

PEANUT BUTTER
[ピーナッツバター(無糖・無添加)]

カフェエイトでは隠し味として様々なお料理にピーナッツバターを使用します。自然なコク、香ばしいかおり、ナチュラルな甘味を出したいときに。もちろんこのままパンに塗ってバナナをはさめば立派なデザートに。

TAHINI
[タヒニ(練り胡麻)]

いわゆる練り胡麻のペースト。カフェエイトでは、オーガニックのものが入手しづらいのと、国産の練り胡麻に比べてクセが少なく使いやすいため輸入品を使用。これもまた様々なお料理にコクをもたらします。

Vegetables

野菜の世界はとても奥が深い。同じ野菜を調理しても組み合わせる野菜によって、引き出される味も変わってきます。ここでは、素材のもつ隠された味を引き出すレシピをご紹介。「この野菜、こんなに甘かった!?」「まるで乳製品が入っているみたい!」そんな声がたくさん聞こえてくるはずです。

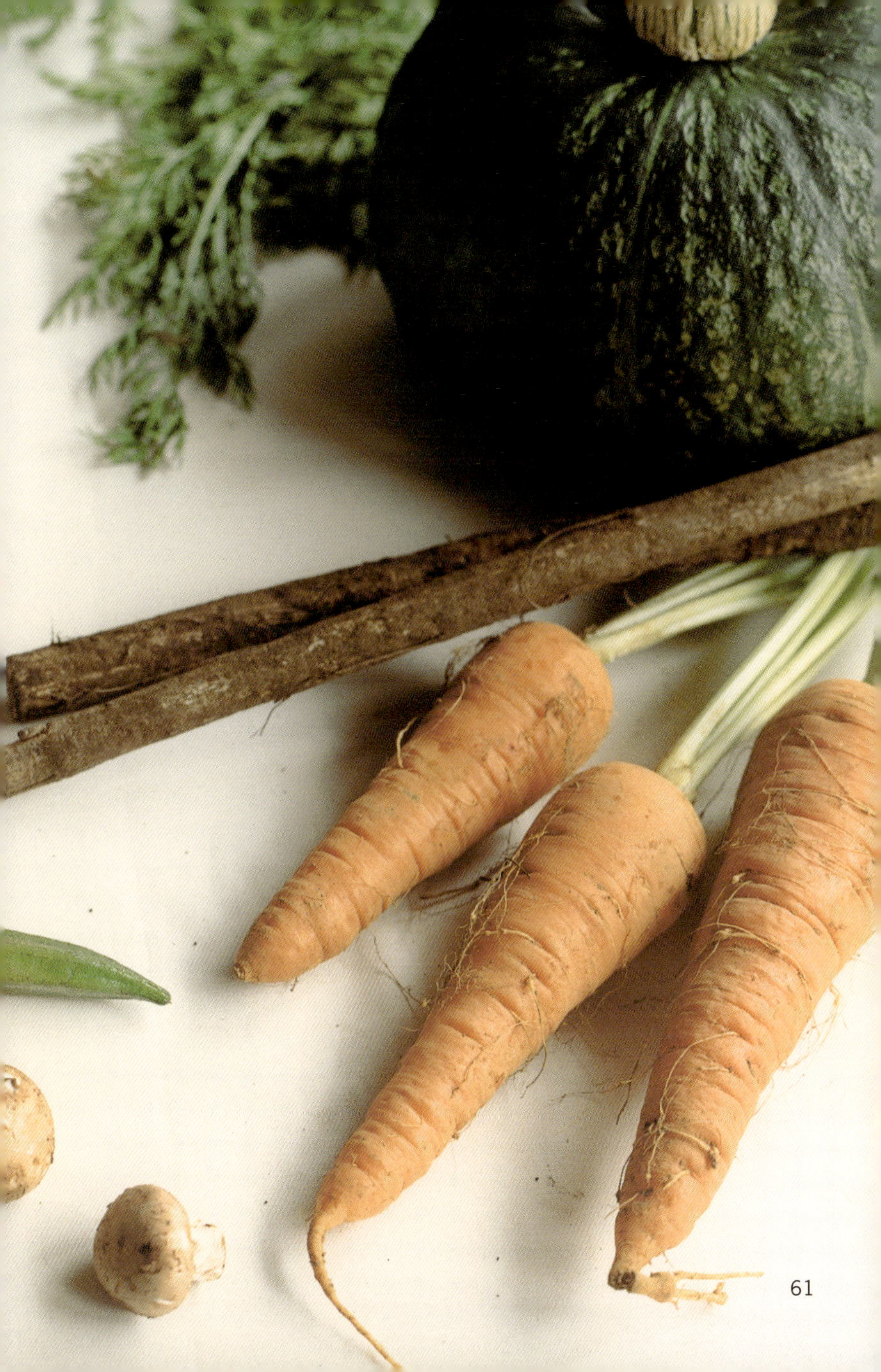

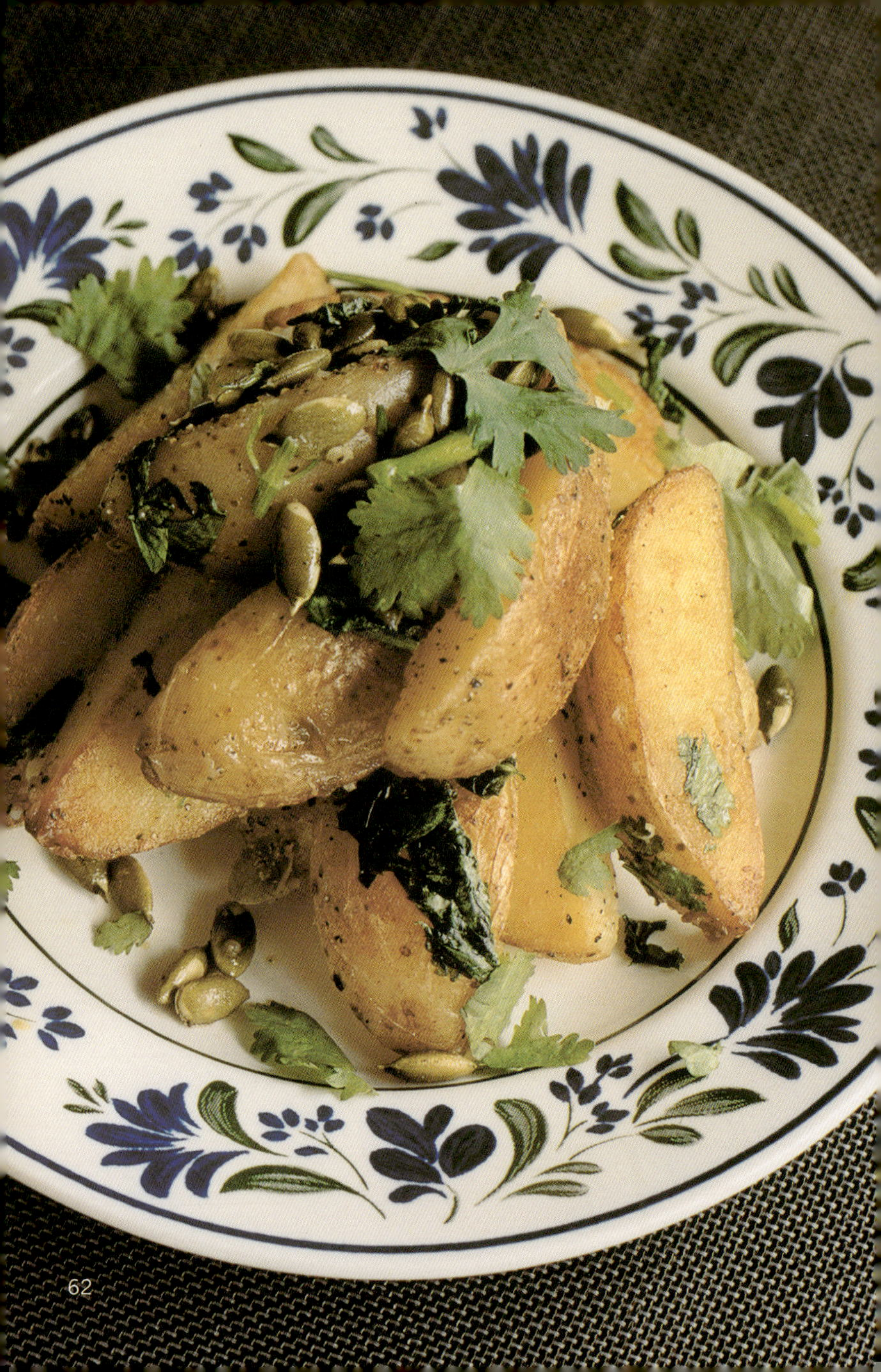

Roasted Potato with Coriander

コリアンダー風味のローストポテト

ホクホクのじゃがいもにたっぷりのコリアンダーリーフを合わせ、食感のアクセントにパンプキンシードを効かせました。この組み合せがじゃがいもの不思議な甘味を引き出してくれます。まるでバターを入れたかのような風味が魅力の一品。

[材　料] (3〜4人分)
にんにくのみじん切り：小さじ2／じゃがいも：4個／コリアンダーリーフ：2房分／パンプキンシード：大さじ2／塩：ひとつまみ／ブラックペッパー：少々／なたね油：小さじ2

[作り方]
じゃがいもは37ページのように皮ごと蒸しておいてクシ型に切ります(またはクシ型に切ったじゃがいもを、塩をひとつまみ入れたお湯で茹でます。この際茹で過ぎないように注意)。コリアンダーリーフは、根の部分はみじん切り、他は2cm程度にカットします。
フライパンに油を入れ、にんにくをゆっくり炒めます。色が黄金色になったら、塩ひとつまみとパンプキンシード、じゃがいもを入れ強火で炒めます。じゃがいもの色が変わってきたら、コリアンダーリーフの根を、少ししたら茎の部分を入れて混ぜながら炒めます。焦げ付かないように、強火のままフライパンを動かして炒めましょう。じゃがいもの表面がカリっとしたらコリアンダーの葉の部分を入れ、全体を混ぜたらできあがり。

Nutty Pumpkin

ナッティーパンプキン

ハワイでは週末、友達同士でビーチに集まってポットラック（持ち寄り）パーティーをする人がたくさんいます。これはそのパーティーへ持って行ったときに男女問わず大人気だったもの。みんなにレシピをせがまれてこちらがびっくりしたほどです。おいしいものに国境はないと実感できたレシピです。

[材 料]（3～4人分）
しょうがのみじん切り:大さじ1／長ネギのみじん切り:大さじ1／かぼちゃ:1/2個／人参:1本／ピーナッツバター:大さじ2／塩:ひとつまみ／タカの爪:1つ／醤油:大さじ1／黒砂糖(粉):小さじ2／ピーナッツ:15粒／なたね油:大さじ2

[作り方]
フライパンに油、しょうが、ネギ、ぶつ切りにしたタカの爪を入れ焦げ付かないように炒めます。大きめの乱切りにした人参と黒砂糖、塩少々を入れ全体を混ぜたらフタをして弱火で7～8分蒸します。
ピーナッツバターとお醤油を混ぜて良く練っておきます。ピーナッツは包丁で適当にくだいておきます。かぼちゃは一口大にカット。フライパンに皮を下にしてかぼちゃをならべます。強火にして水を大さじ1杯入れたらフタをして4～5分蒸し、かぼちゃが透明感を帯びてきたらピーナッツバターのペーストと砕いたピーナッツを入れ、強火のまま全体をあおりながら炒めます。再びフタをして中火で2分。竹串を刺してかぼちゃが柔らかくなっていたら、全体をざっくり混ぜてできあがり。

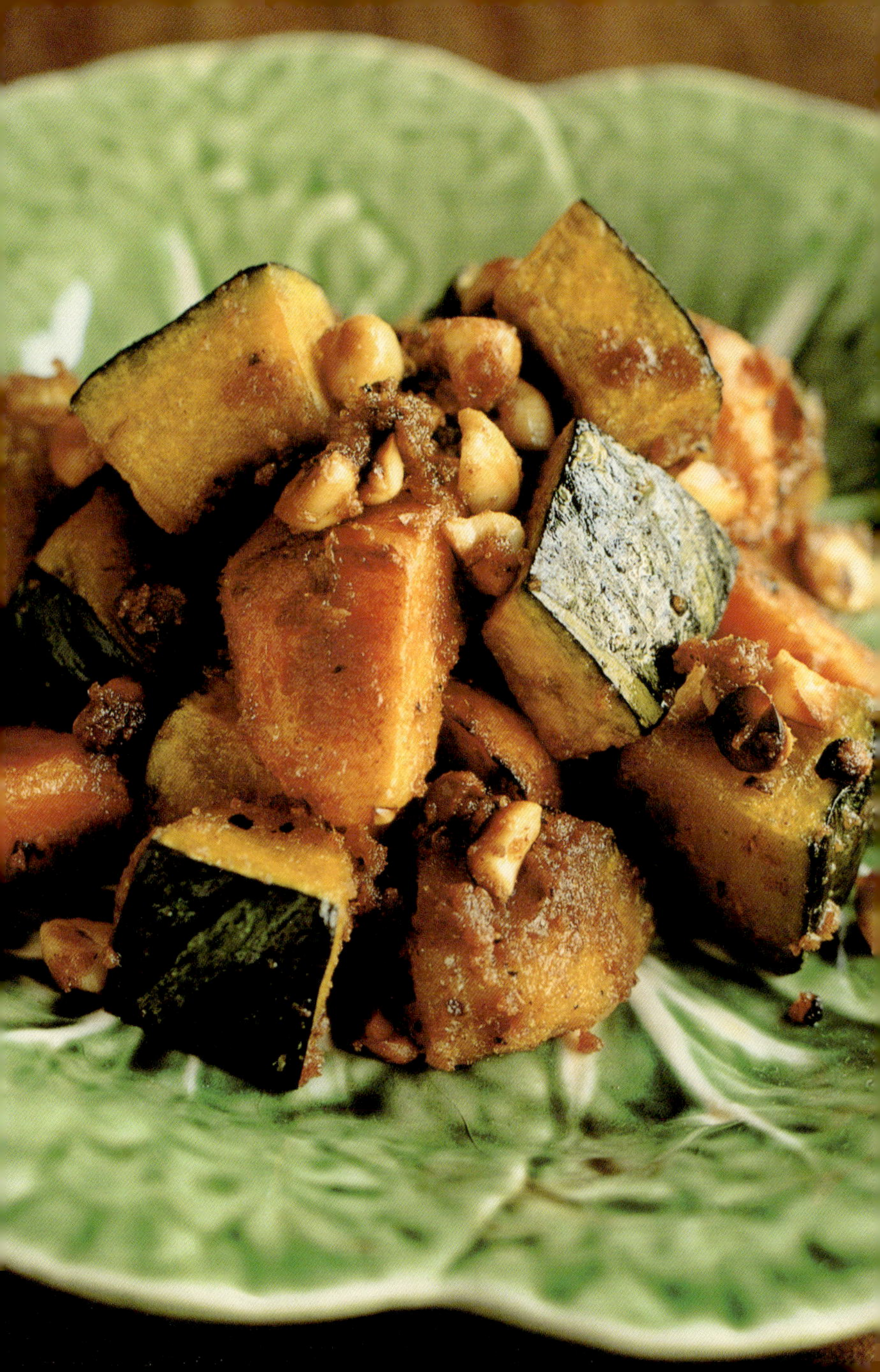

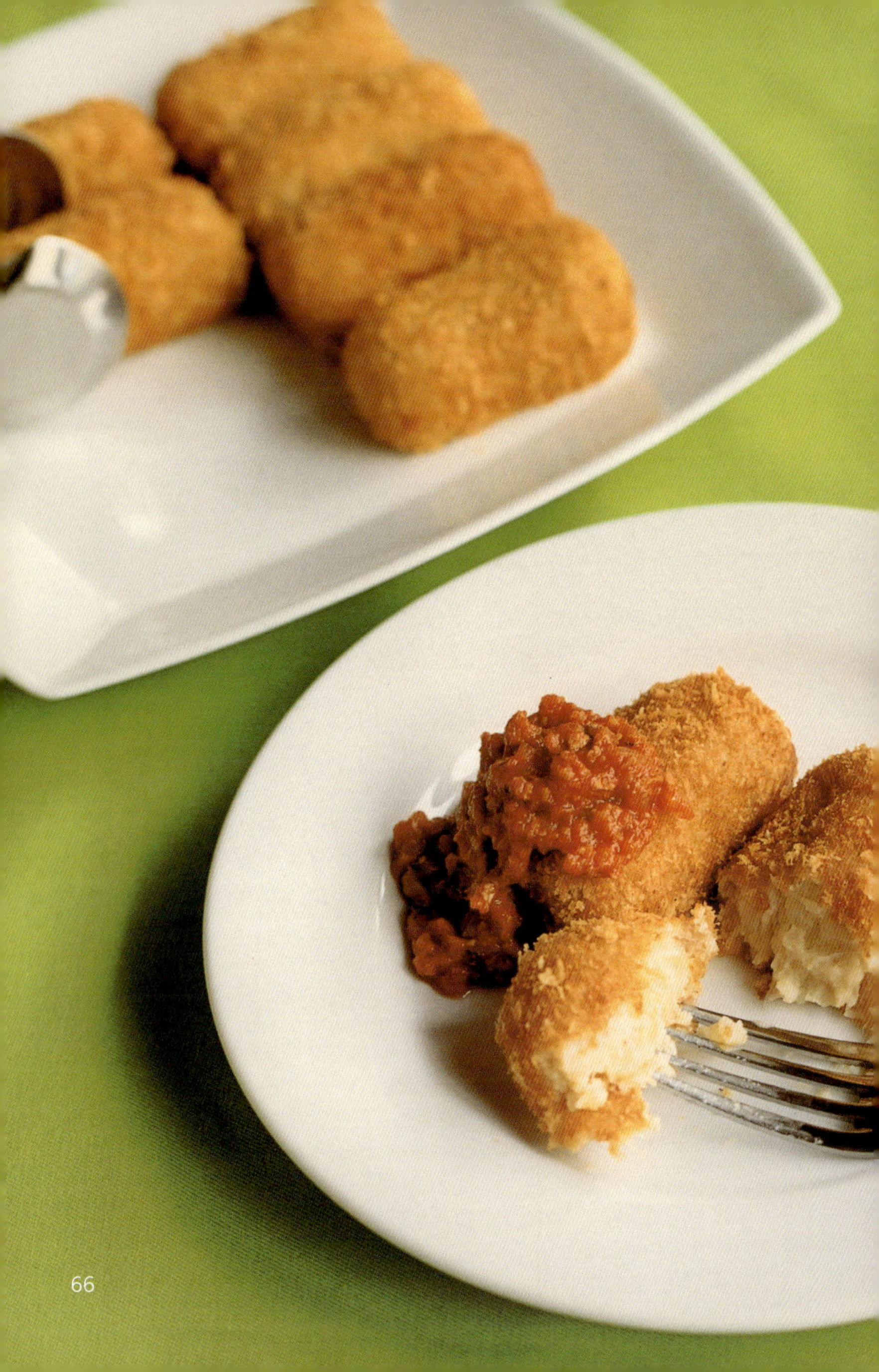

Yummy Potato Croquette

里芋とポテトのクリーミーコロッケ

ヴィーガンフードでクリーミーな食感のお料理は無理だと多くの人が思っていますが、このコロッケはそんな人たちがびっくりする一品です。特別な素材を使わなくても充分リッチな食感が出せます。本当のクリームコロッケよりも低カロリーでヘルシーなので、ヴィーガンではない人にもおすすめです。

[材　料](8個分)
にんにくのみじん切り:小さじ1／玉ねぎのみじん切り:1/2個分／じゃがいも:3個／里芋:5個／昆布でとったダシ汁:適量／オリーブオイル:適量／ローリエ:1枚／塩・ブラックペッパー:少々[豆乳ソース]醤油:大さじ1／みりん:大さじ1／日本酒:大さじ1／豆乳200cc(すべて混ぜ合わせておきます)[揚げ衣]水で溶いた小麦粉:適量／パン粉:適量

[作り方]
鍋を火にかけ、オリーブオイルとにんにく、ローリエを入れます。かおりが立ってきたら玉ねぎを加えます。玉ねぎが透き通ってきたら皮をむいた里芋、皮をむいて一口大にカットしたじゃがいもと塩・ブラックペッパーを加えて軽く炒めます。そこへ[豆乳ソース]を入れ、ダシ汁を具が浸るくらいに加えます。
中火で加熱し、沸騰したら軽くアクをとります。そのまま弱火にして焦げ付かないように水分がなくなるまで煮詰めます。水分がなくなったら火を止め、ヘラでかるく芋をつぶし冷やしておきます。
冷やした具を俵型にまるめ、衣をつけます。まず水で溶いた小麦粉(どろっとする程度)にくぐらせ、パン粉につけます。あとは油で黄金色になるまで揚げたらできあがり。トマト系のソース(98ページ参照)やウスターソースでいただきます。

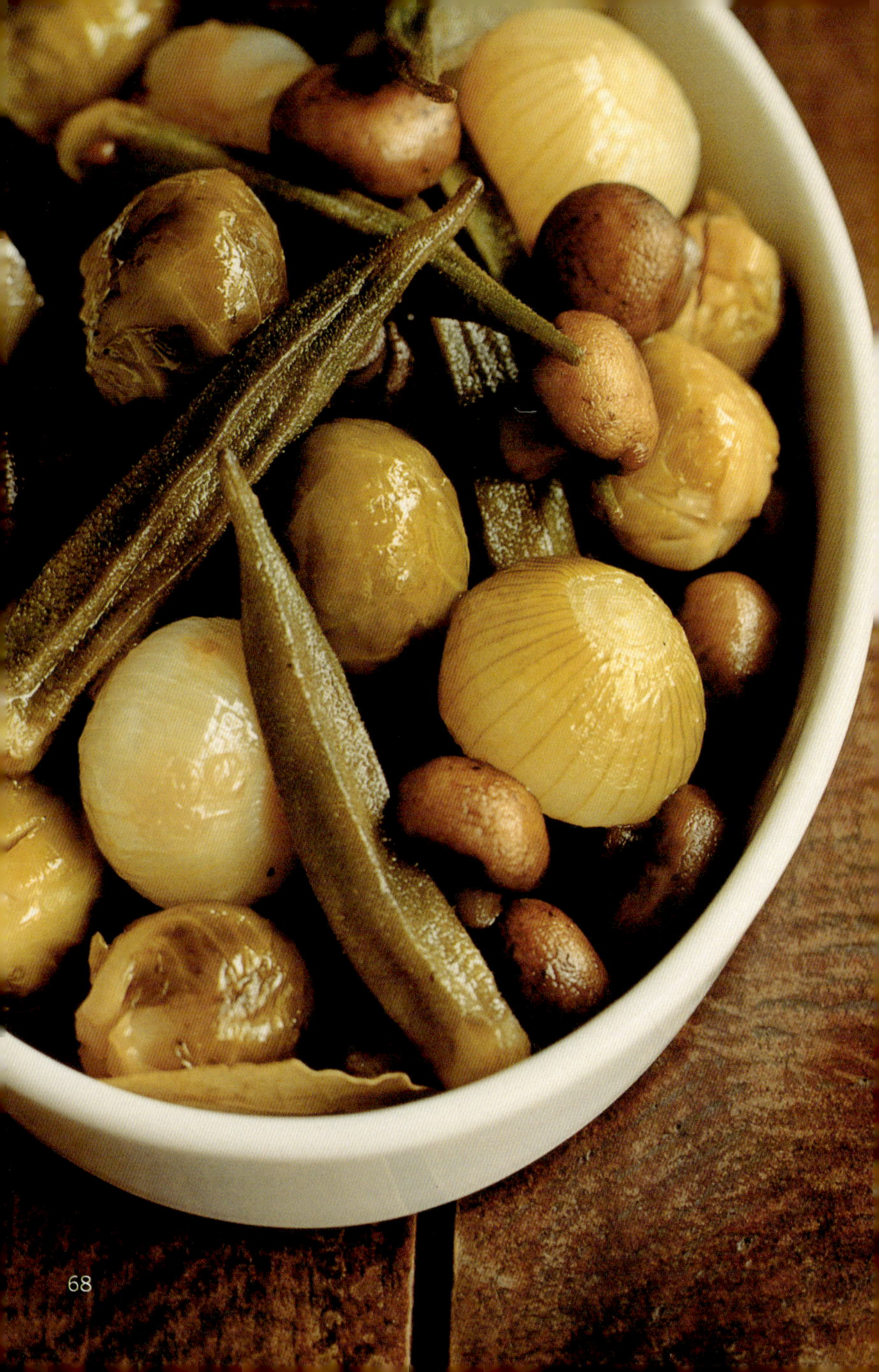

Stewed Brussels sprouts, Okura & Mushroom
with White wine

芽キャベツとマッシュルーム、オクラの白ワイン煮

盛り付けたとき、茶色がかったアースカラーのトーンが美しいひと皿。前菜やサイドディッシュにはもちろん、煮汁ごとクスクスにかければメインディッシュにも。テーブルにこの白ワイン煮とパン、そしてワインがあるだけでちょっとしたビストロ風になります。

[材　料]（サイドディッシュとして4〜5人分）
にんにく：ひとかけ／ペコロス：7〜8個／ブラウンマッシュルーム：15〜20個／芽キャベツ：7〜8個／オクラ：7〜8本／ローリエ：2枚／オリーブオイル：大さじ1／フレッシュタイム：1本／コリアンダーシード：10粒／ホワイトペッパー：10粒／白ワイン：500cc／塩：少々

[作り方]
オリーブオイルと縦2つにカットしたにんにく、ローリエを鍋に入れて弱火で加熱します。包丁の腹でつぶしたコリアンダーシードとホワイトペッパーを入れ、にんにくは色がついてきたら取り出します。
マッシュルーム全部と塩少々をいれ強火にし、鍋を振りながら炒めます。かおりが立ってきたら、ペコロス、芽キャベツを入れて中火で5分ほど炒めます。フレッシュタイムと塩少々を入れ、白ワインをそそぎます。煮立つ直前に火を弱め、フタをしてとろ火で約15分程煮詰めます（このときフタを少しだけずらしておきます）。オクラを入れてさらに15分。煮詰め具合はお好みで調整を。最後に味の調整をしたらできあがり。

VEGAN'S S

Tofu

MOMEN
[木綿豆腐]

カフェエイトではもっぱら絹よりも木綿を使います。水分量が少なく、加工もしやすいためです。買ったらすぐに水切りをしておくこと。ベジバーグ(84ページ参照)や炒り卵風にアレンジ可能。

ATSUAGE
[厚揚げ]

野菜といっしょに炒めたりするときは型くずれしやすい豆腐よりも厚揚げがおすすめ。炒めるときに下味をつけておくと、よりおいしくなります。

ANDARD 2

ヴィーガンズ・スタンダード2［豆腐の仲間を使い分ける］

良質のプロテインが豊富な大豆食品「豆腐」はヴィーガンにとって大切なタンパク源。栄養面だけではなく、その食感も大切。野菜にはない、タンパク質特有の食感がないと、どんなに味付けが良くても物足りなさを感じてしまいます。豆腐は調理次第で様々な食感が楽しめるので積極的に使いましょう。

ABURA AGE
［油揚げ］

スープの具や中華、エスニック風の炒めものなどに良く合います。細めに切って炒めると味が染み込みやすく食感が増すので、お肉のようになります。

KOYA
［高野豆腐］

和風の煮物はもちろん、意外ですがトマト系のシチューやカレーにも合います。長期保存が可能なので常備しておけば、いざというときに活躍します。

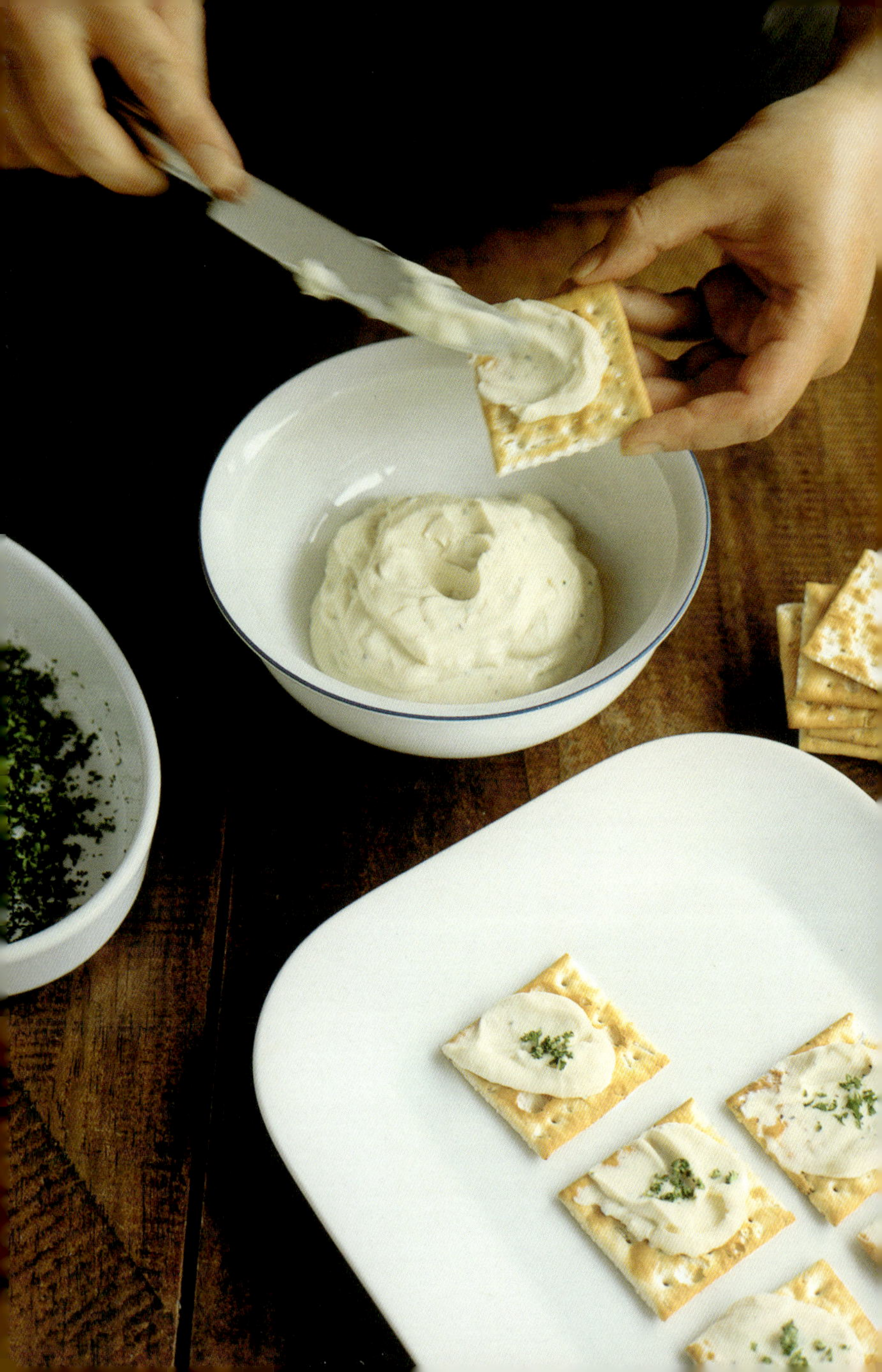

Tofu Cream cheese & Rum Tofu cream

「これ、何でできていると思う?」と思わず言いたくなるほど、クリームチーズそっくりの豆腐ディップ2種。写真のようなカナッペにしたり、サンドイッチやパンに塗るディップにしたり、とても便利。このレシピのポイントはとにかくしっかり豆腐の水を切ること。フードプロセッサーを使ってクリーミーに仕上げます。

トーフクリームチーズ

[材 料]
水切りした木綿豆腐:1丁/オリーブオイル:大さじ4/ドライバジル:小さじ2/レモンジュース:大さじ2/にんにくのみじん切り:小さじ1/塩・ホワイトペッパー(粉):適量

[作り方]
フードプロセッサーに豆腐、にんにくのみじん切り、塩、ホワイトペッパー少々とレモンジュースを入れ、なめらかになるまで回します。ある程度なめらかになってきたら、プロセッサーを回しながらオリーブオイルを少しずつ入れ、最後にバジルを入れます。味を見て、塩、ホワイトペッパー、レモンジュースなどで味を整えたらできあがり。

ラムトーフクリーム

[材 料]
水切りした木綿豆腐:1丁/メープルシロップ:大さじ4~5/ラム酒:小さじ1~2/バニラエッセンス:少々/塩:ほんの少し

[作り方]
フードプロセッサーに豆腐を入れ、なめらかになるまで回します。回しながらメープルシロップを少しずつ入れていきます。なめらかになったらラム酒、バニラエッセンスと隠し味の塩をほんの少し入れて回します。味をみて、メープルシロップ、ラム酒で味を整えたらできあがり。

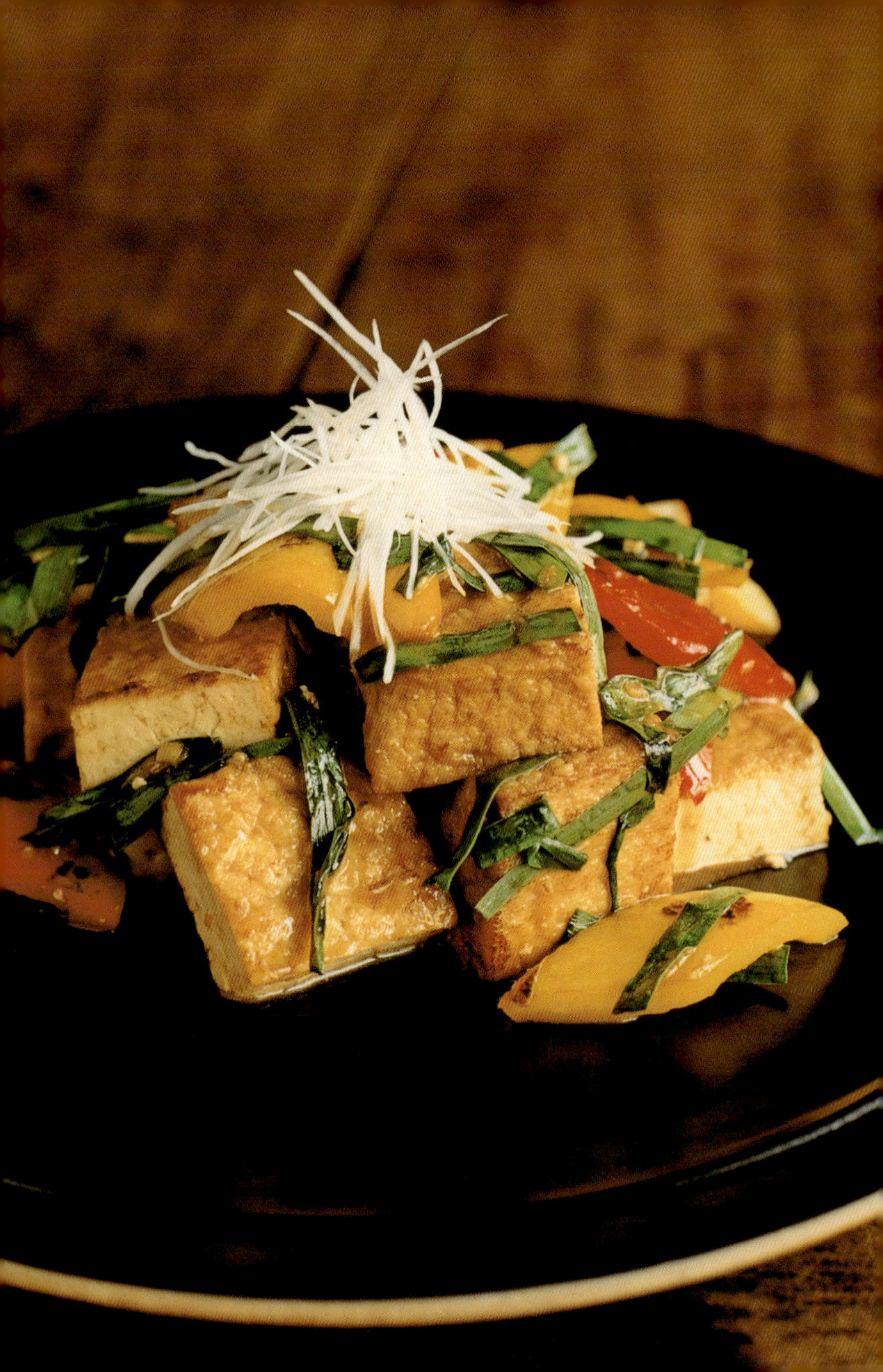

厚揚げとニラの甘辛炒め

ささっと簡単に作れて、しかも栄養バランスのとれたレシピ。ご飯のおかずにぴったりです。食欲をそそる味付けなので、夏バテ防止にも効果的。冬は針しょうがを加えたり白菜や長ネギを加えると良いでしょう。

[材 料] (2～3人分)
にんにくのみじん切り:小さじ1／しょうがのみじん切り:小さじ2／厚揚げ:1丁／レッドパプリカ:1/2個分／イエローパプリカ:1/2個分／にら:1束／白髪ネギ:少々／甜菜糖(108ページ参照):小さじ2／醤油:大さじ1／タカの爪:1本／塩:少々／ごま油:大さじ1

[作り方]
中華鍋を熱し、ごま油、にんにく、しょうが、ぶつ切りにしたタカの爪を入れ弱火でゆっくり炒めます。にんにくが黄金色になったら厚揚げ、塩少々と甜菜糖を入れ、鍋をあおりながら中火で炒めます。厚揚げの芯まで火を通すため、1分ほどフタをします。再び強火にして、一口大に切った2種のパプリカを入れ全体をあおり、鍋のふちからお醤油を回し入れます。焦げないように鍋をざっざっと振り、4～5cmに切ったにらを入れ、全体が混ざったら火を止めて盛り付けます。上に白髪ネギをかざったらできあがり。

Sweet & Spicy Fried bean curd with Nira

Whole Cabbage & Tofu Casserole

丸ごとキャベツと豆腐のキャセロール

キャベツを大胆に使うこのレシピは、盛り付けたときのインパクトも大きいのでパーティーなどにぴったり。つけ合わせには68ページの"芽キャベツとマッシュルーム、オクラの白ワイン煮"を。これに野菜を炊き込んだクスクスを添えれば、ゴージャスなメインディッシュのできあがり。みんなでわいわい取り分けて食べるとパーティーも盛り上がります。(レシピは次のページ参照)

[材　料]（6〜8人分）
縦2つに切ったにんにく：2切れ／しょうがのみじん切り：大さじ1／ローリエ：3枚／キャベツ：1個／水切りした木綿豆腐：1丁／しいたけのみじん切り：2枚分／人参のみじん切り：1/2本分／玉ねぎのみじん切り：1個分／小麦粉：大さじ2／4分割したプチトマト：15個分／塩：ひとつまみ／ブラックペッパー：少々／オリーブオイル：大さじ3

[作り方]
フライパンにオリーブオイルを大さじ1杯入れ、玉ねぎ、人参、しいたけの順に炒め、塩とブラックペッパー少々で軽く下味をつけておきます。玉ねぎに色がついてしんなりしたら火を止め冷ましておきます。フードプロセッサーかすり鉢で豆腐がひき肉のようになるまで練ります。フライパンで炒めた具と豆腐をボウルに入れ、手で練ります。塩少々で下味をつけ、少しずつ小麦粉を混ぜて粘りをだしていきます（ハンバーグを練るように）。

次にキャベツとキャセロール（※）を用意します。キャベツは外側から芯ごと1枚ずつはがして水で洗っておきます。芯の硬いところには縦に包丁で切りこみを入れます。キャセロールをとろ火にかけ、オリーブオイル大さじ2杯、ローリエ1枚、しょうが、にんにく2切れを入れます。続いてプチトマトを4分割し、手でつぶしながら5個分程度を鍋の底にちりばめます。

キャベツを鍋にしいていきます。キャベツの外側の、大きくて厚みのある葉から順番に使います。まずは鍋底の角にキャベツのカーブをうまくあてて、何枚かを重ねながら鍋の周りを埋めます（とろ火にかけたままなので火傷しないように注意してください）。鍋底の真ん中の部分には、芯のところで縦に切った葉を平らにしごきながら3〜4枚重ねてきます（煮込んでいくうちに自然になじむのでざっくりで大丈夫）。その上に豆腐の具を1cmくらいの厚さに押し込むようにしてのせます（大体分量の半分くらい）。

その上から先程の鍋底と同じ要領でキャベツの葉を敷き詰めます。具もその上に先程と同じようにのせます。軽く押し込むように、隙間を埋めるようにしていくと、具の重みでおさまりが良くなっていきます。最後は具の上の中心部に、キャベツの細かい部分を敷き詰めて、上からフタをするように、残りのキャベツをかぶせていきます。

とろ火のまま残りのプチトマトと塩ひとつまみ、ローリエを入れフタをして40〜50分。オーブンの場合は180℃程度で40分ほど。汁気がなくなり、高さが2/3くらいになったらできあがり。粗熱をとってから（熱いうちは型くずれします）、大きめの皿に鍋ごとひっくり返します。焦げ付いた底のキャベツをはがしトマトをのせてできあがり。

Whole Cabbage & Tofu Casserole

※使用するキャセロール（両手鍋）について
大きさは直径22cm前後、高さは14〜15cm程度のものを使います。焦げ付きを防ぐためにできるだけ鍋底の厚いものを使いましょう。ホーロー製やステンレス製がおすすめです。

Sandwich

サンドイッチの醍醐味は、歯ごたえと具のバランスにあります。がぶっとかじりついた時に顎で感じるバリバリとしたレタスの食感やジューシーなトマトは、コースでいう前菜やサラダのようなもので、そこへアクセントとなる"メイン"が飛び込んでくる。噛みごたえのあるパンがあれば、空腹感も味覚も充分満たされてしまいます。

Grilled Tofu Sandwich

トーフステーキと野菜のサンドイッチ

オープン以来、カフェエイトのベストセラー的サンドイッチ。漬け込んでからグリルしているお豆腐はお肉でいう赤味の部分、炒めた茄子が脂身の代役を果たす？ベジタリアンでない人も大好きなレシピです。具の切り方と重ね方はできるだけレシピに忠実にしましょう。歯ごたえが肝心のレシピですから。

[材　料]（4人分）
にんにくのみじん切り：小さじ1／ドライバジル：大さじ1／醤油：大さじ2／酢：大さじ2／オリーブオイル：大さじ2（以上、お豆腐のマリネ用にすべて混ぜておきます）
水切りした木綿豆腐：1丁／玉ねぎ：1/2個／スライストマト：4枚／きゅうり：1本／スライスした茄子：8枚／レタス：4枚／大豆マヨネーズ（58ページ参照）：適量／食パン：8枚

[作り方]

7〜8mmに切ったお豆腐をマリネ液に約15分程漬け込みます。その間に材料をカットしておきます。カットする素材の厚さは次のとおり(写真1、2参照)。

まず、玉ねぎは薄切りして水にさらします。トマトとナスは7mmの厚さに。ナスは切ったあと水にさらしてあくを抜き、水気を拭いておきます。きゅうりは半分の長さにしたものを2mmの厚さに切ります。レタスは芯をつけた大きいままの状態で。

お豆腐をオーブンでグリルします。漬け汁ごと天板に並べ、200℃で10分、ひっくり返してもう10分(オーブンがない場合は写真3のようにフライパンでソテーします)。次に、残った油を使いフライパンでナスをソテーします(油が足りなくなったら足します)。

パンを表面に軽く色がつく程度に焼き、片面に大豆マヨネーズをまんべんなく塗ります。そこにまずはきゅうりを写真4のように少しずつ重ねながら並べます。つぎに玉ねぎを数枚、トマトは真ん中に一枚並べ、その上にナスを2枚並べます(写真5参照)。

レタスを2つに折り、芯の部分を軽く潰すようにして乗せます。お好みで大豆マヨネーズを小さじ1杯ほど乗せた上にお豆腐を2枚重ね(写真6参照)、パンではさんだら軽く上から抑えて出来上がり。盛り付けるときは写真7のようにサンドイッチを抑えながらカットします(パン切りナイフがおすすめです)。サラダやポテト(37ページ参照)を添えれば、立派な食事になります。

Veggieburg Sandwich

ベジバーグのバゲットサンドイッチ

ベジバーグ、すなわちお肉を使わないハンバーグの作り方は実に何通りもあります。大豆などの豆ベース、豆腐ベース、オーツ（麦）ベース、グルテンミートベース…などなど。つまりはタンパク質素材をメインにし、あとは炒めた玉ねぎなどとまぜて形になれば良いのです。ここでは豆腐ベースのものをご紹介していますが、色々な素材で試してみて、マイレシピを完成させると良いでしょう。少し手間がかかるので、多めに作り冷凍しておくことをおすすめします。

[ベジバーグの材料]（サンドイッチ用のサイズで7～8食分）
水きりした豆腐：1丁／玉ねぎ：1個／ピーマン：3個／マッシュルーム：3個／オーツ麦：2カップ／パン粉：2カップ／カシューナッツ（orピーナッツ）：100g／ナツメグ：少々／薄力粉：50g／コリアンダーパウダー・塩・コショウ：少々／オリーブオイル：適量
[サンドイッチの具]（4食分）
玉ねぎ：1/2個／きゅうり：1本／レタス：4枚／バゲット：12～13cm程度×4本
ベジタブルラグーソース（98ページ参照）：大さじ4／トーフチーズ（73ページ参照）：適量

[作り方]
ベジバーグをつくります。玉ねぎ、ピーマン、マッシュルームをみじん切りにしてフライパンで炒めます。ナツメグと塩、コショウで味付けをして玉ねぎに色がついたらボウルに移して冷まします。ナッツは包丁で細かく砕いておきます。

別のボールに、豆腐とパン粉、ナッツ、オーツ麦を入れ、豆腐を手でつぶしながら良く混ぜ合わせていきます。先程の玉ねぎなどが冷めたら、このボウルに合わせて、さらに良く混ぜます。ここにコリアンダーパウダーと塩、コショウ、薄力粉を加えて粘りが出るまでよくこねます。

バゲットに合わせて、やや長細い小判型にまるめていきます。冷凍保存する場合は小判型にまるめた状態のものをひとつずつラップして冷凍庫に入れましょう。フライパンに多めのオリーブオイルをしいて、小判型にまるめたベジバーグの表裏を焼きます。

次にサンドイッチ。バゲットを2つにカットし、切り口をトースターで軽く焼きます。トーフチーズをバゲットの切り口にまんべんなく塗り、2mm厚にスライスしたきゅうり、ベジバーグ、ラグーソース、スライスした玉ねぎ、レタスの順にはさみます。厚みがでるので、ワックスペーパーなどでくるむと食べやすくなります。ピクルスなどを添えてできあがり。

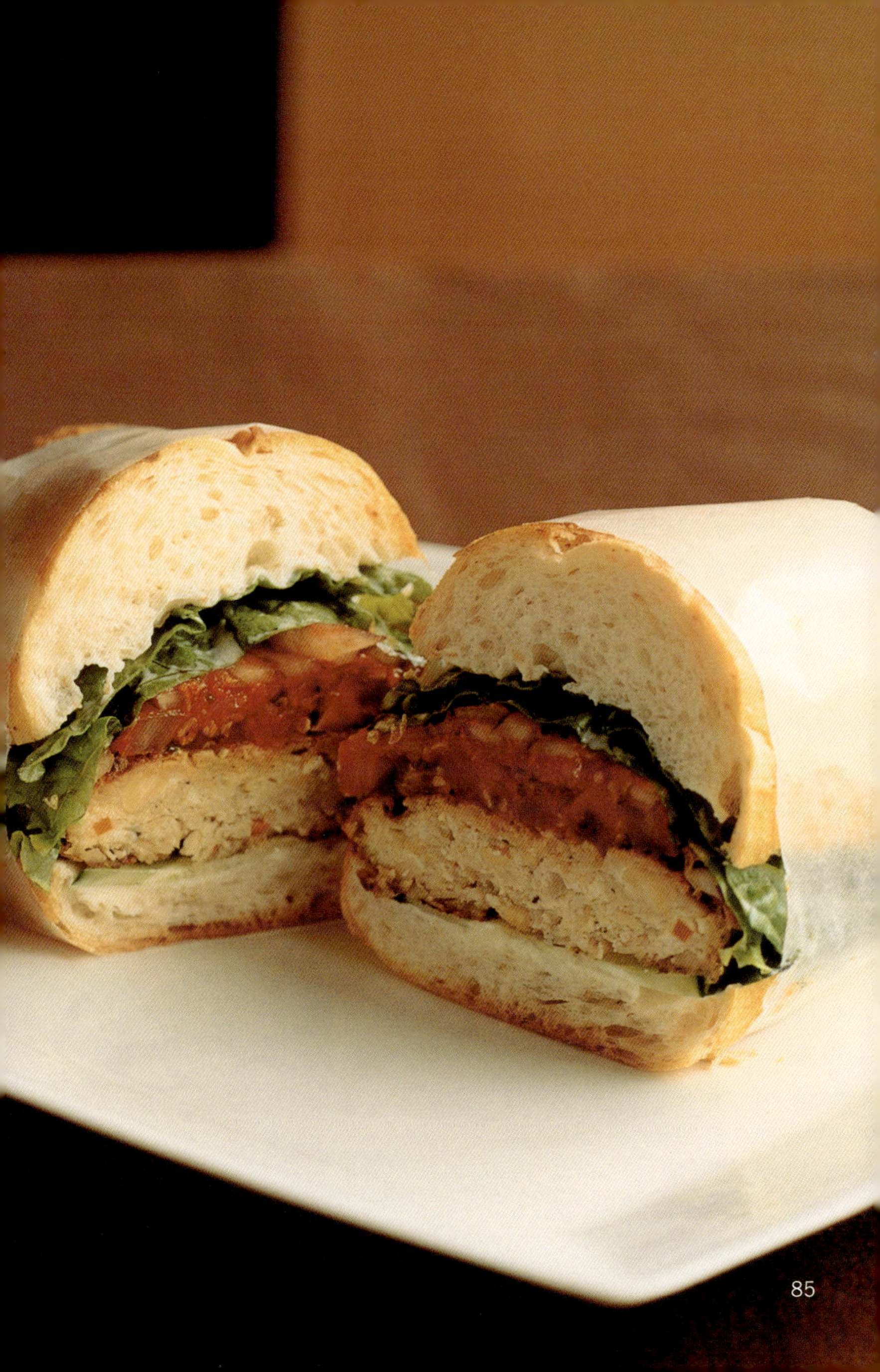

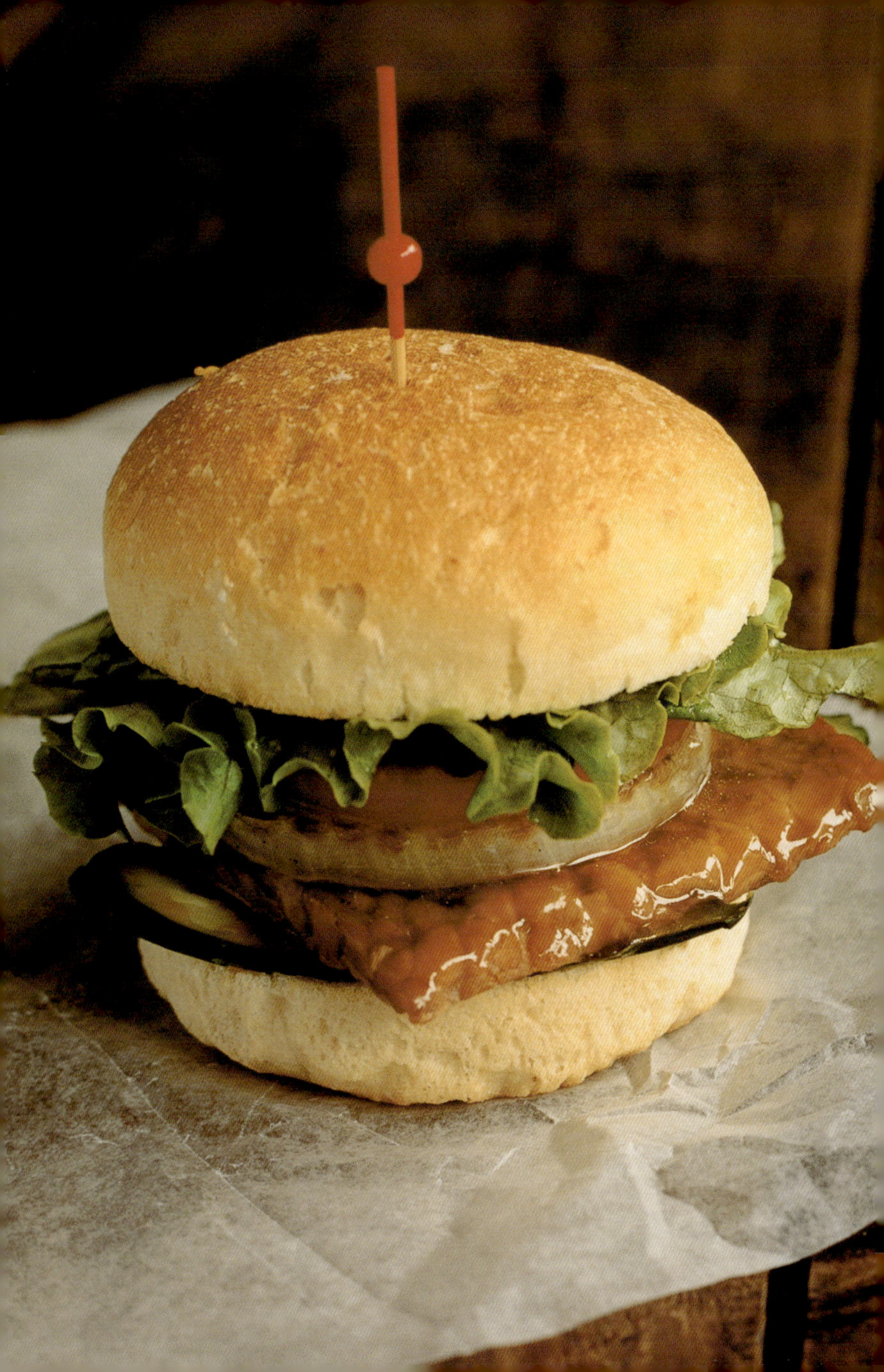

Teriyaki Tempeh Burger

テリヤキテンペのハンバーガー

テンペはもともとインドネシアの大豆醗酵食品ですが、アメリカのナチュラリストの間では数年前からお肉の代替え食品としてポピュラーになっています。このバーガーは、そんなナチュラリスト達の間でも大人気になるに違いない、みんなが大好きなテリヤキテイスト。もちろん日本人の間でも、こどもから大人まで人気の高い一品です。

[材　料]（4人分）
8cm角程度にカットしたテンペ：4枚／ゴマ油：大さじ1／きゅうり：1本／トマト：1個／玉ねぎ：2/3個／レタス：4枚／大豆マヨネーズ（58ページ参照）：大さじ8／バンズ：4セット
[テリヤキソース] 水：100cc／醤油：大さじ2／みりん：大さじ1／日本酒：大さじ1／甜菜糖（108ページ参照）：大さじ1（ソースの材料はすべて混ぜておく）

[作り方]
テンペのテリヤキソテーをつくります。フライパンにごま油をしき、中火でテンペを両面ソテーします。表面の色が変わったら、テリヤキソースを入れ、とろみがつくまで煮詰めます。テンペが焼けたら、同じフライパンで厚さ1cmの輪切りにした玉ねぎをくずれないように表裏焼き目をつけます。
1/2にカットしたバンズを軽くトーストし、それぞれに大豆マヨネーズをたっぷり塗ります。長さを半分にして3mm厚にカットしたきゅうり3枚を下のバンズに並べ、次にテンペ、玉ねぎ、2つ折りにしたレタス、1cm厚のトマトの順にのせて上のバンズではさみます。軽くおさえたらできあがり（くずれやすいので写真のように串を刺すと良いでしょう）。

Pasta

パスタはグルテン（小麦タンパク）を多く含んだセモリナ粉でつくられているため、ヴィーガンフードでも良く活躍します。スパゲティーニのような細めのパスタにはコクのあるソース、ショートパスタやリングイネのように歯ごたえのあるパスタにはあっさりしたソースなど、そのバリエーションは無数にあります。何種類かのパスタを常備しておくと便利です。

Bechamel sauce Spaghettini

ベシャメルソースのスパゲティーニ

豆乳ベースのベシャメルソースにブラックペッパーでアクセントをつけただけのシンプルなパスタ。驚くほどクリーミーでコクがありますが、ヴィーガンなのでのど越しはさっぱり。食後ももたれたりしません。96ページのベシャメルソースの応用例です。

[材　料]（2人分）
ソイベシャメルソース（96ページ参照）：大さじ3／スパゲティーニ：220g／塩：ひとにぎり／オリーブオイル：小さじ1／ブラックペッパー：少々／ディル（飾り用）：少々

［作り方］
大きめの鍋にたっぷりのお湯を沸かし、塩をひとにぎり（やや多すぎるくらい）入れます。
お湯が沸いたらパスタをアルデンテに茹でます。
フライパンにオリーブオイルとソイベシャメルソースを入れ、パスタの茹で汁少々を入れて
ソースをのばします。茹で上がったパスタをフライパンに入れてトングなどですばやく
ソースと和えます。お皿にパスタを盛り付けて、ブラックペッパーをお皿の白い部分に
振り、上にディルを飾ったらできあがり。

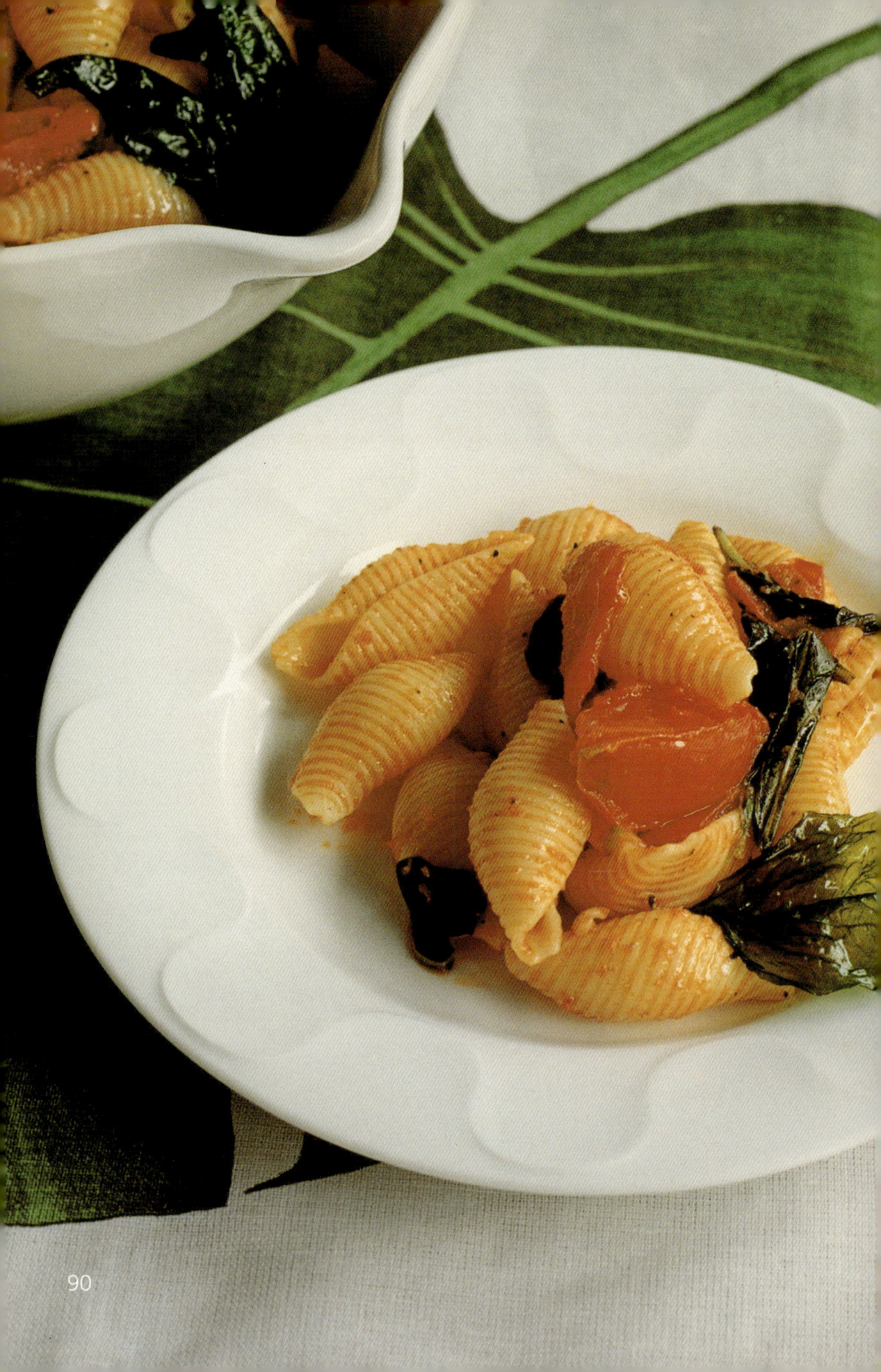

フレッシュトマトとバジルのコンキリエ

貝のカタチをしたショートパスタ「コンキリエ」は、日本ではそれほどポピュラーではありませんが、歯ごたえがあって、ソースがよく絡むのでとても使い勝手の良いパスタです。ソースがすごくシンプルでもおいしくいただけます。

[材　料]（2人分）
コンキリエ：200g／塩：ひとにぎり／オリーブオイル：大さじ2／にんにくのみじん切り：小さじ2／トマト（大）：4個／バジル：2枝分

[作り方]
大きめの鍋にたっぷりのお湯を沸かし、塩をひとにぎり入れます。お湯が沸いたらパスタをアルデンテに茹でます。フライパンにオリーブオイルとにんにくを入れ、ゆっくりと炒めます。ざく切りにしたトマトを入れ、中火にし塩をひとつまみ入れます。トマトの水分がでてきたらバジルを手でちぎりながら入れます（飾り用に何枚かとっておきます）。パスタが茹で上がったら強火にしたフライパンでソースと和えます。味を茹で汁で調整し、皿に盛り付けます。バジルの葉を飾ればできあがり。

Basil & Tomato Conchiglie

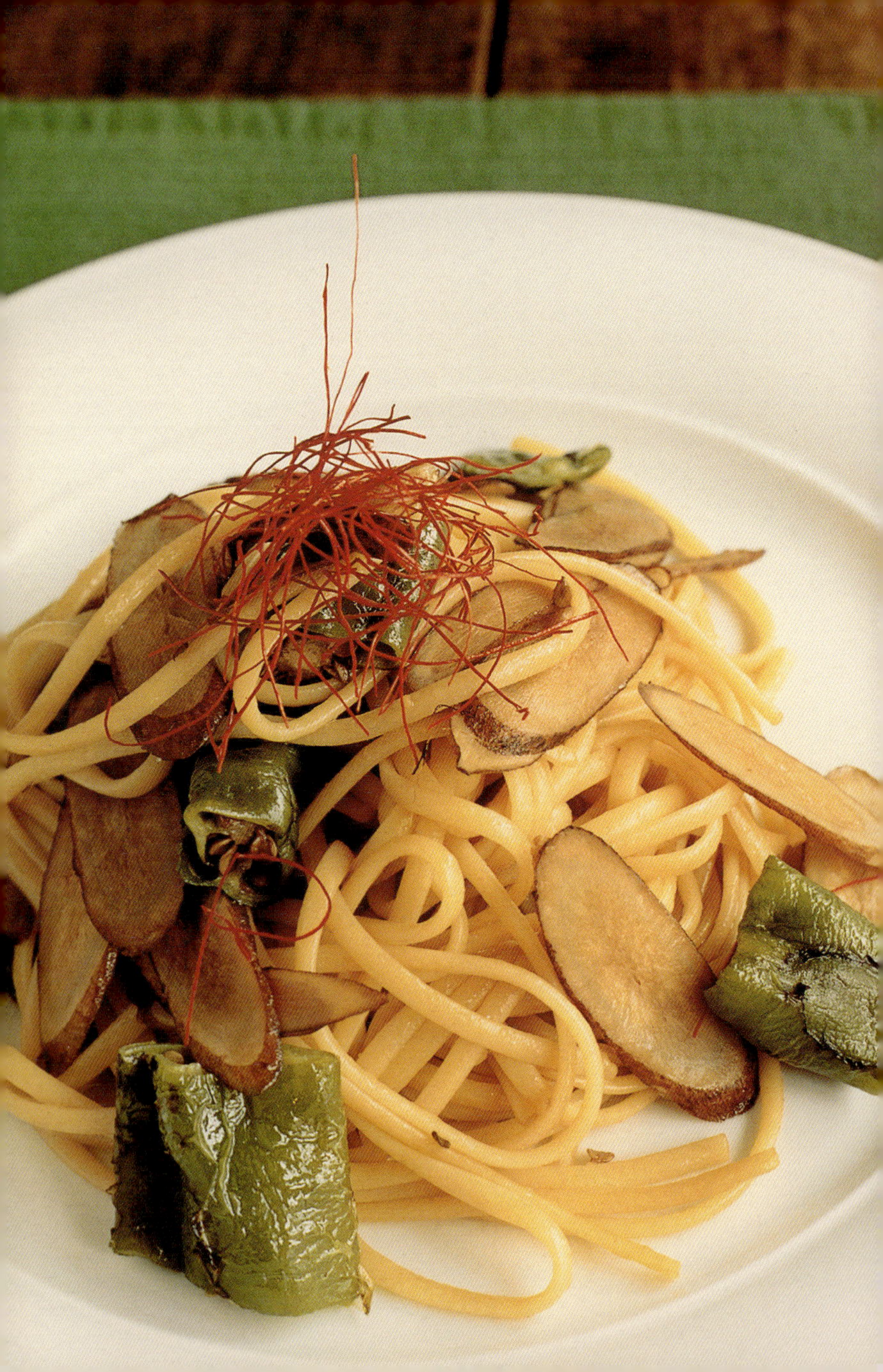

Burdock & Kyoto-pepper Linguine

牛蒡と万願寺唐辛子のリングイネ

カフェエイトでは旬の野菜を使った日替わりメニューがあります。このパスタも高価な万願寺唐辛子を贅沢に使ったTODAY'S SPECIAL的なメニューです。唐辛子のぴりっとした辛味と醤油の風味が効いた和風ペペロンチーノといったところです。

[材　料]（2人分）
リングイネ：220g／塩：ひとにぎり／オリーブオイル：大さじ2／にんにくのみじん切り：小さじ2／牛蒡：1/2本／万願寺唐辛子：2本／醤油：小さじ1／糸唐辛子：適量

[作り方]
大きめの鍋にたっぷりのお湯を沸かし、塩をひとにぎり入れます。お湯が沸いたらパスタをアルデンテに茹でます。
万願寺唐辛子を網かグリルパンで、裏返しながら柔らかくなるまで焼きます。
フライパンにオリーブオイルとにんにくを入れ、ゆっくりと炒めます。斜め切りにした牛蒡を入れ中火で2〜3分炒めたら、醤油を回し入れてかおりを立たせます。そこへ万願寺唐辛子と茹で上がったパスタを入れて手早くまぜます。茹で汁で味を調整し、お皿に盛り付けます。糸唐辛子をのせたらできあがり。

Sauce & Dressing

カフェエイトの考えるヴィーガンフードは、動物性の素材を"排除"した料理ではなく、おいしいもの、カラダに良いものを選んだらシンプルなものにたどり着いたというポジティブな食事。素材は限られていても、基本的な知識さえあれば普通の食事と同様に色々な食感や味を楽しむことができます。

ここでは、「ヴィーガン＝材料が限られる＝そぎ落とされる＝味気ない」という先入観を持つ人を、あっと言わせるようなソースやドレッシングをご紹介します。もちろんこれらのソースを肉料理や魚料理に合わせることも可能。作り置きしておいて、あらゆるお料理にお使いください。

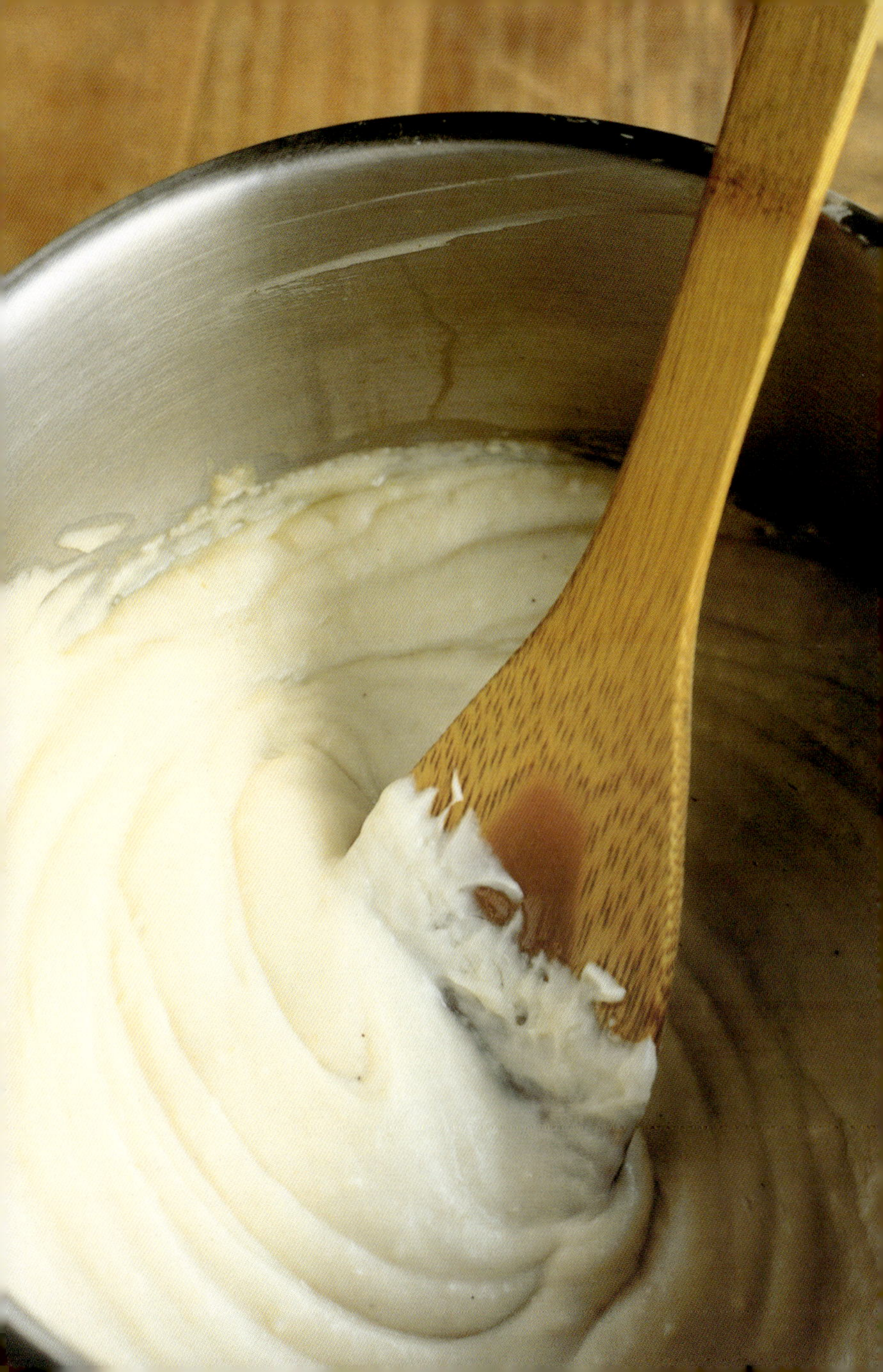

VEGAN'S S

濃厚なのにさっぱり。豆乳でのばし方を調整すれば色々なお料理に

Soy Bechamel Sauce

ソイベシャメルソース

88ページでご紹介したパスタのソースにはもちろんのこと、このソースを作ることができれば、グラタンやクリームシチュー、スープなど様々なお料理にアレンジすることができます。牛乳を使用しない分、日持ちするので少し硬めに作っておき、用途に応じて豆乳などでのばして使うと良いでしょう。

[材　料]（パスタにすると5〜6人分）
玉ねぎ：3個／オリーブオイル：70cc／ローリエ：1枚／にんにくのみじん切り：小さじ1／白ワイン：大さじ2／薄力粉：30ｇ／ナツメグ：小さじ1／塩・コショウ：少々／豆乳：適量

[作り方]
鍋にオリーブオイルと塩、ローリエ、にんにくを入れとろ火で炒める。にんにくにほんのり色がついてきたら、みじん切りにした玉ねぎを少しずついれ、弱火でよく炒めます。玉ねぎに少し色がついてきたら白ワインを加えさらによく炒めます。
火をとろ火にし、薄力粉を少しずつ振るいながらダマにならないようにかき混ぜつつ加えていきます。焦げ付きやすいので、とにかく手を休めずひたすら混ぜます（2〜3分）。
とろ火にし、かき混ぜながら豆乳を少しずつ加え、使用する料理に合わせてお好みの硬さに調整します。塩、コショウで味を整え、最後にナツメグを加えてできあがり。

簡単なのに万能なドレッシング。生春巻きや温野菜のソースにも

Soy & Ginger Dressing
ソイジンジャードレッシング

世界に誇る日本の調味料、醤油をベースにしたドレッシング。40ページのサラダで登場していますが、お好みでしょうがの量を増やしたり、にんにくやネギのみじん切りを加えればより中華色が強くなります。また醤油を控えめにして豆板醤を加えたらスパイシーに、お酢のかわりにレモン汁を入れると海のものに合うソースに、とアレンジしやすく使い勝手の良いドレッシングです。

[材　料]（約1カップ分）
しょうが：親指大1つ／醤油：大さじ4／ごま油：大さじ4／お酢（orワインビネガー）：大さじ4／甜菜糖（108ページ参照）：小さじ1／白すり胡麻：大さじ4

[作り方]
小さめのボウルにしょうがをおろし、上記の材料をすべて入れ、泡立て器でムラがないように混ぜ合わせます。お酢や醤油の種類によって味に差がでるので、味見をしながら調整をしてください。

VEGAN'S S

グルテンミートを使用した濃厚なソース。パスタやハンバーグのソースなどに

Vegetable Ragout Sauce

ベジタブルラグーソース

この本で唯一、グルテンミートを使用するレシピ。最近では自然食品店やオンラインショップなどでも比較的入手しやすくなってきたので、ぜひ試してみてください。このレシピは、グルテンミート特有の粉っぽさや臭みがないので、本物のお肉だと思う人も少なくありません。パスタに使えば、まるでボローニャソースのようです。

[材　料]（パスタにすると5〜6人分）
グルテンミート（ミンチタイプ）：2/3カップ／にんにくのみじん切り：小さじ2／オリーブオイル：大さじ2／玉ねぎ：2個／セロリ：1本／人参：1本／ホールトマト缶：2缶／赤ワイン：1/2カップ／メープルシロップ：大さじ1／タカの爪：1本／ローリエ：2枚／フレッシュローズマリー：1本／フレッシュタイム：1本／ドライバジル：小さじ2／ナツメグ：少々／ドライセージ：少々／塩・コショウ：適量

[作り方]
グルテンミートをお湯で充分もどし、念入りに水を切っておきます。ホールトマト缶はあらかじめボウルに移し、手で実を潰しておきます。
深さのあるフライパンに、オリーブオイルとにんにくを入れ弱火にします。ナツメグとセージ以外のハーブとタカの爪を入れ、にんにくに色がつくまでじっくり炒めます。にんにくに火が通ったら、細かくみじん切りにした玉ねぎ、セロリ、人参を入れよく炒めます。玉ねぎがあめ色になってきたら、グルテンミートと塩、コショウを加え、さらに良く炒めます。野菜の水分が減って全体がなじんできたら、赤ワインとセージ、ナツメグを加え火を強めてアルコール分を飛ばします。次にホールトマト缶をすべて入れ、ときどきかき混ぜながらだいたい1/3の量になるまで煮込みます。最後に塩、コショウとメープルシロップで味を整えてできあがり。

クセのある野菜もこのソースがあれば大丈夫。チーズのようなコクが特徴

Tahini Dressing

タヒニドレッシング

もともとは伝統的な地中海料理のひとつ。ピタパンやファラフェル(ひよこ豆のコロッケ)と合わせます。カフェエイトでは季節の葉野菜をふんだんに使ったガーデンサラダにかけています。クレソンやマスタードリーフ、生のホウレン草などクセのある野菜もこのソースがあればおいしくいただけます。野菜が苦手な人は重宝するかもしれません。

[材 料](約2カップ分)
タヒニ(59ページ参照):1カップ/オリーブオイル:大さじ3/なたね油:大さじ2/レモンジュース:大さじ2/おろししょうが:大さじ2/にんにくのみじん切り:小さじ1/醤油:大さじ2/水:大さじ4/塩:1つまみ/ホワイトペッパー:少々

[作り方]
ボウルに、タヒニ、オリーブオイル、なたね油を入れて木べらでよくなじむまで混ぜます。次にしょうが、にんにく、レモンジュース、醤油、塩を混ぜながら加えていきます。全体がなじんだら、泡立て器に持ちかえ、混ぜながら、水とホワイトペッパーを加えます。全体がクリーミーになったら、塩、ホワイトペッパーで味を整えてできあがり。まぜ方によって分離することがありますが、レモンジュースや水を少し加えて混ぜるとなじみます。コツは混ぜながらそれぞれの材料を少しずつ加えていくことです。

VEGAN'S S

RYOKUTO HARUSAME
[緑豆春雨]
他の具を炒めている間に、沸かしたお湯に漬けておくだけでもどせるので便利。炒めものやスープ、サラダに。

RICE NOODLE
[ビーフン]
太さも形も色々。茹で時間はだいたい2〜3分程度。細い物は炒めて、太いものはフォーなどの汁麺に。

Noodle

TANDARD 4

SOBA
[そば]
おつゆは昆布としいたけのダシで作ります。大根おろしと納豆、ねぎをのせ生醤油で食べても美味。

LINGUINE
[パスタ：リングイネ]
パスタの項でもご紹介していますが、歯ごたえがあって伸びにくいので、炒めてエスニック風にしても良いです。

UDON
[うどん]
歯ごたえのある讃岐うどんがおすすめ。茹で時間はかかりますが調理はとても簡単。次のページを参照。

ヴィーガンライフの基本はなんといっても自炊。忙しい毎日を送る人にとっては難しいことかもしれませんが、保存しておいて、調理時間が短い乾麺の料理のバリエーションを覚えておけば簡単。突然の来客などにも即対応でき、色々な場面で役立ちます。

Makanai Udon Noodle

さぬきうどんのまかない仕立て

文字どおり、このレシピはスタッフのまかない用に
つくるもの。長い時間厨房に立ったり、忙しすぎたり
すると食欲がなくなってしまいます。これはそんなと
きに一気に疲れをとってくれる、簡単で胃にやさしい
誰もが好きなメニュー。しかも、とっても簡単です。

[材　料](2人分)
さぬきうどん(乾麺):2束／万能ネギ:1本／みょうが:
1個／しょうが:親指大1つ／岩海苔:お好みで／醤油:
少々／塩:ひとつまみ

[作り方]
鍋にお湯を沸かし塩をひとつまみ入れ、麺を茹でます。
その間に薬味をそれぞれ切って小皿に分けておきます。
茹で上がった麺は茹で汁ごとどんぶりに入れ、あとは
好きなだけ薬味を入れて食べるだけ。茹で汁に塩味が
ついているのでお醤油は少なめに。しょうがは多めが
おすすめです。

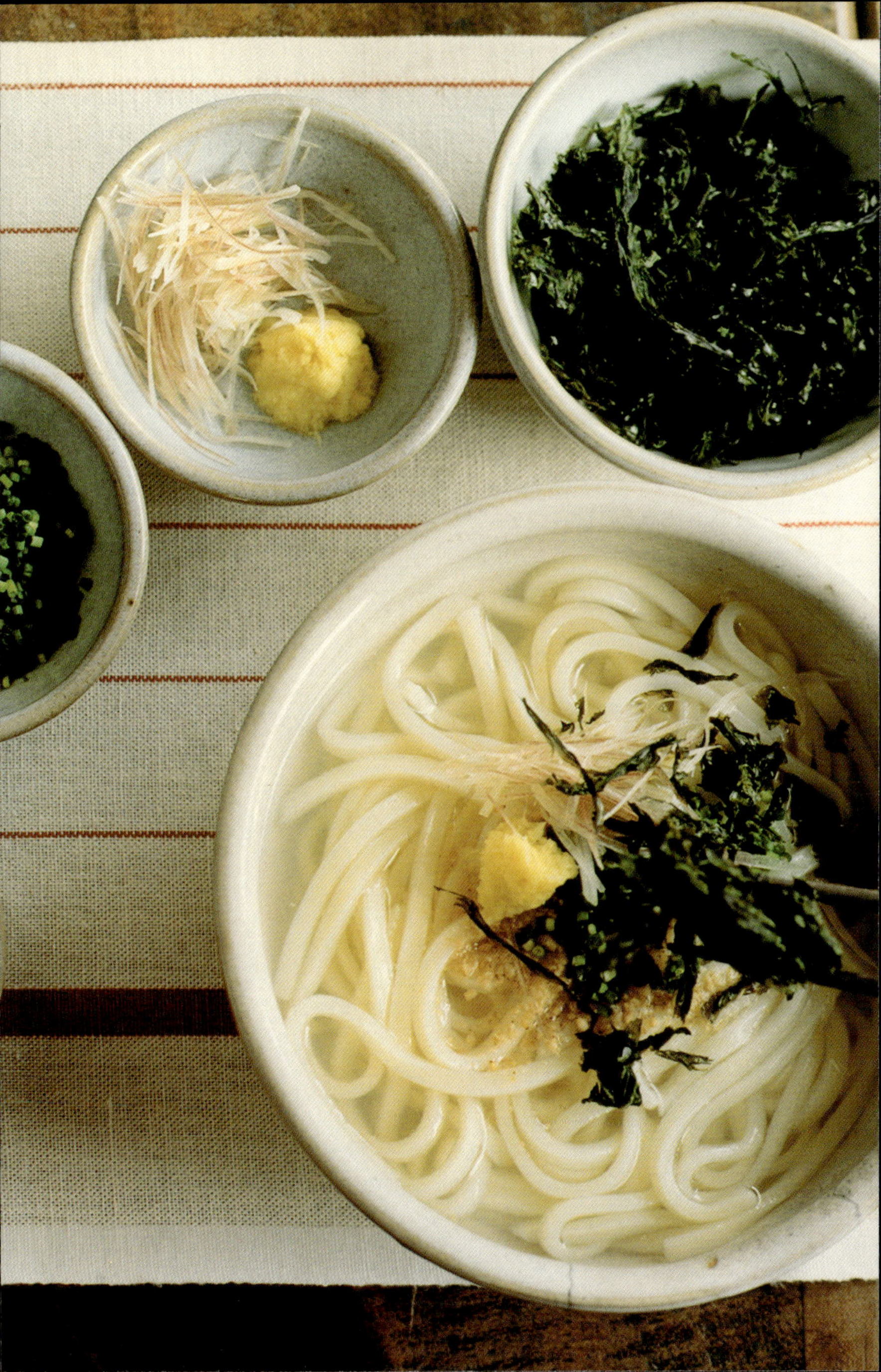

Chinese Rice Noodle

中華風お揚げと野菜の焼きビーフン

調理時間の短いビーフンを使ったレシピ。お酒のおつまみや遅めの夕食にも手ごろです。ナッツやコリアンダーを加えてタイ風にしたり、カレー粉を加えてシンガポール風にしたりとアレンジも簡単です。残ったら、生野菜を加えてソイジンジャーをかければ中華風のサラダにも。

[材　料]（2人分）
ビーフン：2食分／ごま油：大さじ2／にんにくのみじん切り：小さじ1／しょうがのみじん切り：大さじ1／長ネギのみじん切り：大さじ1／人参：1/2本／ピーマン：1個／油揚げ：1枚／ニラ：1/2束／塩：ひとつまみ／醤油：大さじ1

[作り方]
鍋でお湯を沸かし、ビーフンを2分ほど茹でたら火を止め1分蒸らします。蒸らし終ったらざるへあげておきます。残ったお湯に油揚げをくぐらせ、フライパンで表裏に焼き目がつく程度に焼いておきます。
中華鍋にごま油を入れ、にんにく、しょうが、長ネギを入れかおりが立つまで炒めます。千切りにした油揚げ、人参、ピーマンと5cmにカットしたニラの茎の部分を塩ひとつまみといっしょに強火で炒めます。
もどしてあったビーフンを加え、鍋をあおりながら全体を炒めます。ほどよく混ざったら、醤油を鍋肌からまわし入れ、さらに炒めます。最後に塩で味を調整したら残りのにらを入れて混ぜたらできあがり。

Vietnamese Rice Noodle

ベトナム風スープヌードル"フォー"

日本でもすっかりポピュラーになったベトナム料理、フォー。米粉でできた麺は茹で時間が短くて済む上、味が染み込みやすいので調理がとても簡単。本場では鶏のスープでいただきますが、ヴィーガンレシピでは昆布ダシや野菜のスープストックで代用します。今回は手早くできる「コチュジャンバージョン」をご紹介。

[材　料]（2人分）
フォー（麺）：2食分／ダシ昆布：15cm程度／白ごま油：大さじ1／ごま油：小さじ1／にんにくのみじん切り：小さじ1／しょうがのみじん切り：小さじ1／玉ねぎ：1/2個／人参：1/4本／しめじ：1/3株／えのき茸：1/3株／コリアンダーリーフ：1房／ニラ：5本／塩・コショウ：少々／醤油：大さじ2／コチュジャン：小さじ2／白髪ネギまたは糸唐辛子（飾り用）

[作り方]
鍋に水を500cc入れ、そこに1cm程度に細かくしたダシ昆布を加えてとろ火にかけます。沸騰しそうになったら火をとめておきます。フォーは軽く茹でてもどしておきます。別の鍋に白ごま油を入れ、にんにくとしょうが、コチュジャンを炒めます。かおりが出たら、千切りにした玉ねぎと人参、小分けにしたしめじとえのき茸、塩、コショウを加えゆっくり炒めます。野菜がしんなりしたら、作っておいた昆布ダシを昆布ごと加え、醤油とごま油を入れます。ここで味をみて塩で調整し、にらとコリアンダーを入れたらスープのできあがり。もどしたフォーをスープに入れて温まったらどんぶりなどに盛り付け、白髪ネギやコリアンダー、糸唐辛子などを飾ってできあがり。お好みで針しょうがやネギなどを加えていただきます（ここにレモングラスとレモンジュースを加えるとタイ風ヌードルになります）。

RAW SUGAR
［黒砂糖］
国産品がおすすめ。独特の香ばしさがあって
このままお茶菓子としてかじっても良い
ですし、お料理にも使えます。

BEET SUGAR
［甜菜（てんさい）糖］
俗にいう「砂糖大根」からつくられる100％
天然素材のお砂糖。やさしい甘味でくせが
少なく料理にも使いやすいです。

HONEY
［蜂蜜］
ヴィーガンでは、蜂の体内を通して作られる
蜂蜜も取らないとする考え方がありますが
カフェエイトでは、天然蜂蜜は身体の免疫力
を高める効果があるため推奨しています。

Dessert

デザートにも乳製品や卵を使用しないカフェエイトでは、白砂糖も使用しません。精製した白砂糖はダイレクトに吸収されやすいということもありますが、できるだけナチュラルな甘味素材を使うことで、シンプルなヴィーガンレシピにそれぞれの風味がプラスされてぐんとおいしくなるからです。
ここでご紹介するデザートレシピはどれも簡単なものばかり。こどものおやつにも最適なので、ぜひトライしてください。

MAPLE SYRUP
[メープルシロップ]
カフェエイトで最も多用されている天然甘味素材。香ばしくやさしい甘味が特徴で、このままでも充分デザートソースになります。高価ですが、必ず100%ピュアなものを使用しましょう。

PURE CACAOMAS
[ピュアカカオマス]
砂糖や乳製品などをいっさい含まない100%ピュアカカオ。製菓材料を豊富に取り扱っているお店などで入手可能。甘味を加えてデザートを作ります。

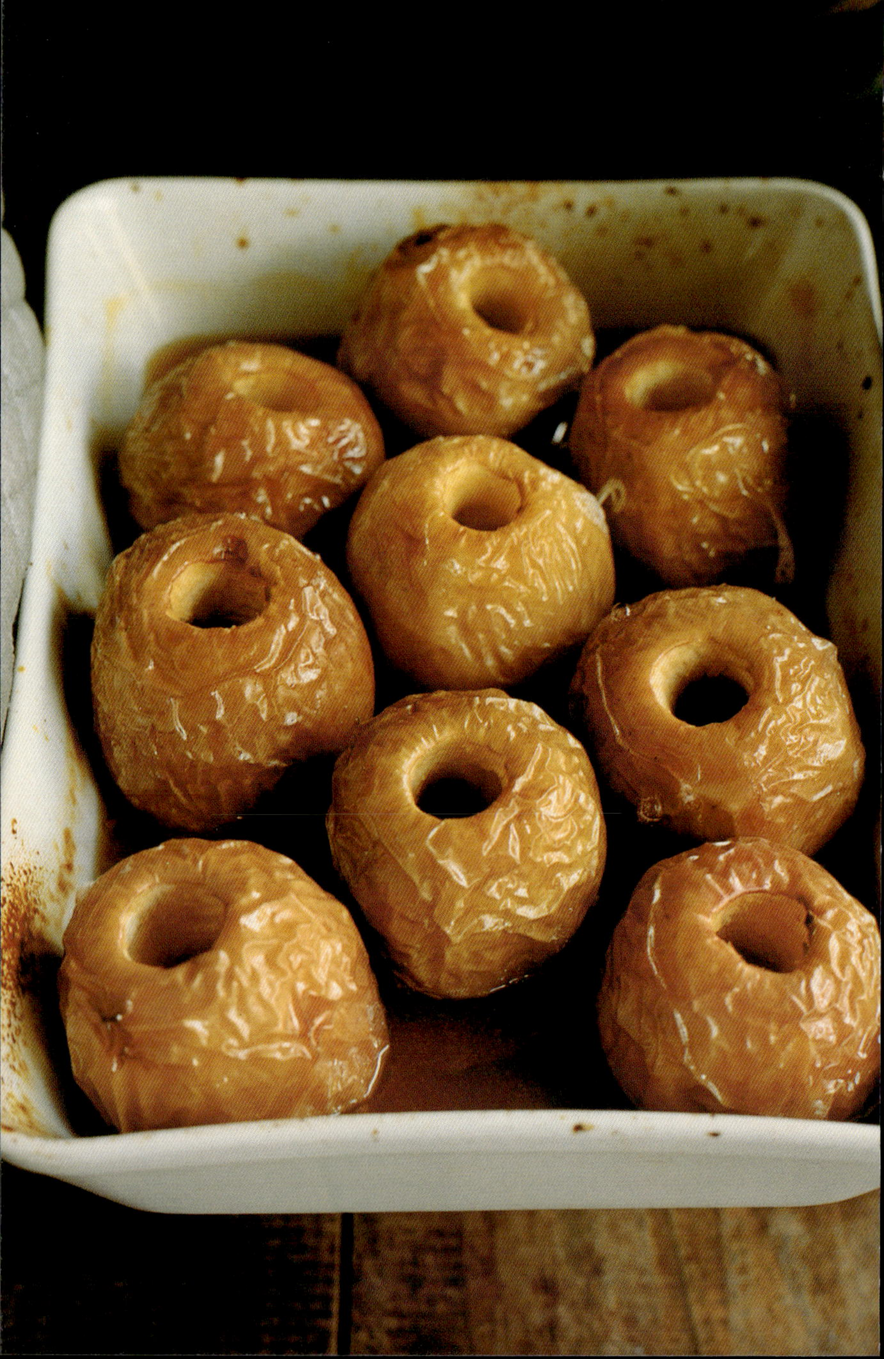

Baked Apple

丸ごとベイクドアップル

冬から春にかけての寒い季節にぜひ作ってほしいデザートです。生のりんごを丸ごと食べるのはボリュームがありすぎる気がしますが、焼いてしまうとほどよく縮んでとても食べやすくなります。焼き立ての熱々を食べても良いですし、冷やしてトーフクリーム（73ページ参照）などを添えてもおいしく食べられます。こどものおやつにもぴったり。

[材　料]（4人分）
りんご（できれば紅玉）：4個／メープルシロップ：大さじ4／レモンジュース：大さじ4／シャンパンor白ワイン：1カップ　※メープルシロップの量はあくまで目安です。お好みの甘さに調整してください。その際レモンジュースはメープルシロップと同量にしてください。　※りんごはできるだけ無農薬、低農薬のものを選びましょう。

[作り方]
りんごを良く洗います（皮に農薬がついているため中性洗剤で洗い、よくすすぎます）。市販されている芯抜き器（なければ小さなペティナイフ）を使い、芯をくり抜きます。
耐熱皿にりんごを並べ、メープルシロップ、レモンジュース、シャンパン（or白ワイン）を混ぜたものを上からかけます。190〜200℃に熱したオーブンで20〜30分ほど焼きます。途中、様子をみながら裏返したり、ソースをかけたりしながら焼きましょう。
※熱源との距離が近い場合は焦げ付いてしまうのでフォイルで覆って蒸し焼きにし、最後に焼き色をつけます。お皿に焼き上がったリンゴとソース、お好みでトーフクリームを添え、ミントの葉を飾ればできあがり。

Chocolate Porridge parfait

チョコレートポリッジのパルフェ

こどもの頃、レストランへ行って大きなパフェが目の前に運ばれて来ると、とてもわくわくしたものです。このパルフェは大人もこどもも楽しめるデザート。チョコレートアイスクリームのように見えるのは、なんとオートミール。食物繊維もたっぷりでヘルシー。お好みでナッツやフルーツを添えていただきます。

多めにつくって冷蔵庫で冷やしておくのがおすすめ。

[材　料]（ワイングラスで5～6食分）
[チョコポリッジ]オートミール：2.5カップ／水：2カップ／豆乳：1.5カップ／100%ピュアカカオマス：120g／メープルシロップ：0.5～0.8カップ／コアントローラム：大さじ2／バナナ：2本／アーモンド：100g／塩：ひとつまみ
[盛り付け用]コーンフレーク：適量／砕いたナッツ：適量／バナナやいちごなどのフルーツ：適量／豆乳：少々／メープルシロップ：少々

[作り方]
チョコポリッジを作ります。鍋に分量の水を入れ、沸騰したらオートミールを加えて良く混ぜます。少し煮立ってきたら火を止め、カカオをナイフなどで削りながら入れ（右写真参照）、ときどき混ぜながらまんべんなく溶かします。固くなってきた場合はとろ火にして豆乳でのばし火を止めます。
フードプロセッサーにバナナとアーモンドを入れ、回しながら少しずつ豆乳を加えていきます。全て混ざったら、オートミールの鍋に加え良く混ぜます。とろ火にし、味をみながらコアントローラム、塩、メープルシロップを入れ味を調整します。粗熱を取り、冷蔵庫で良く冷やします。ワイングラスに、コーンフレーク、作っておいたチョコポリッジを重ね、ナッツやフルーツを飾り、隙間から豆乳やメープルシロップをかけてできあがり。

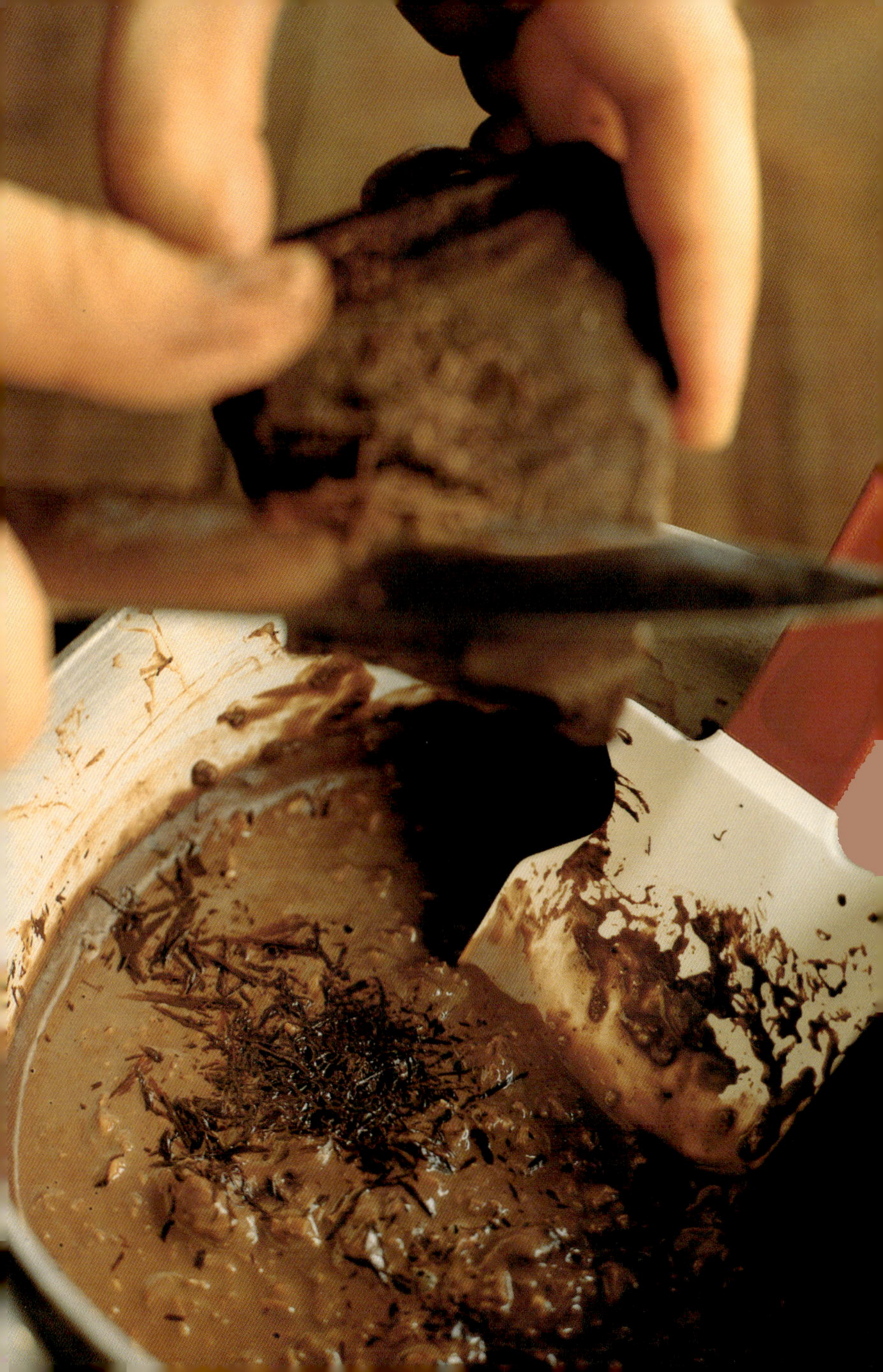

114

2 Kinds of Sweet Spring Roll

2種のアジアンスイート春巻き

このレシピは、カフェエイトがオープンしたときの一番最初のメニューに載った記念すべきデザート。とても簡単で誰が作っても失敗しないし、しかもとてもおいしい。春巻きに白あんとフルーツを入れて揚げるだけ。こどもからお年寄りまで人気の高いデザートです。

[材　料]（4食分）
白あん：1カップ／バナナ：1/2本／りんご：1/8個／春巻きの皮：4枚／水溶き小麦粉：少々／揚げ油：適量／メープルシロップ：適量／蜂蜜：適量／シナモンパウダー：少々／きなこ：少々

[作り方]
あらかじめ白あんを作っておきます（水でもどし、茹でておいた白インゲンを甜菜糖と塩少々でペースト状になるまで煮てください）。バナナは5mmくらいの斜め切り、リンゴは薄くクシ型に切ります。写真のように春巻きの皮に白あんをのせ、りんご2切れを巻いたものとバナナ2切れを巻いたものを2本ずつ作ります。巻くときに水溶き小麦粉を糊のかわりにします。小鍋に揚げ油を入れ、水溶き小麦粉を一滴たらしたときに、ふんわり浮いてくるようになったら中火にし、春巻きを揚げます。黄金色になったら取り出して、よく油を切ります。それぞれ斜めにカットし、リンゴの春巻きには蜂蜜とシナモンを、バナナの春巻きにはメープルシロップときなこをかけてできあがり。

Apple

Banana

Eat Your

Vegetables!

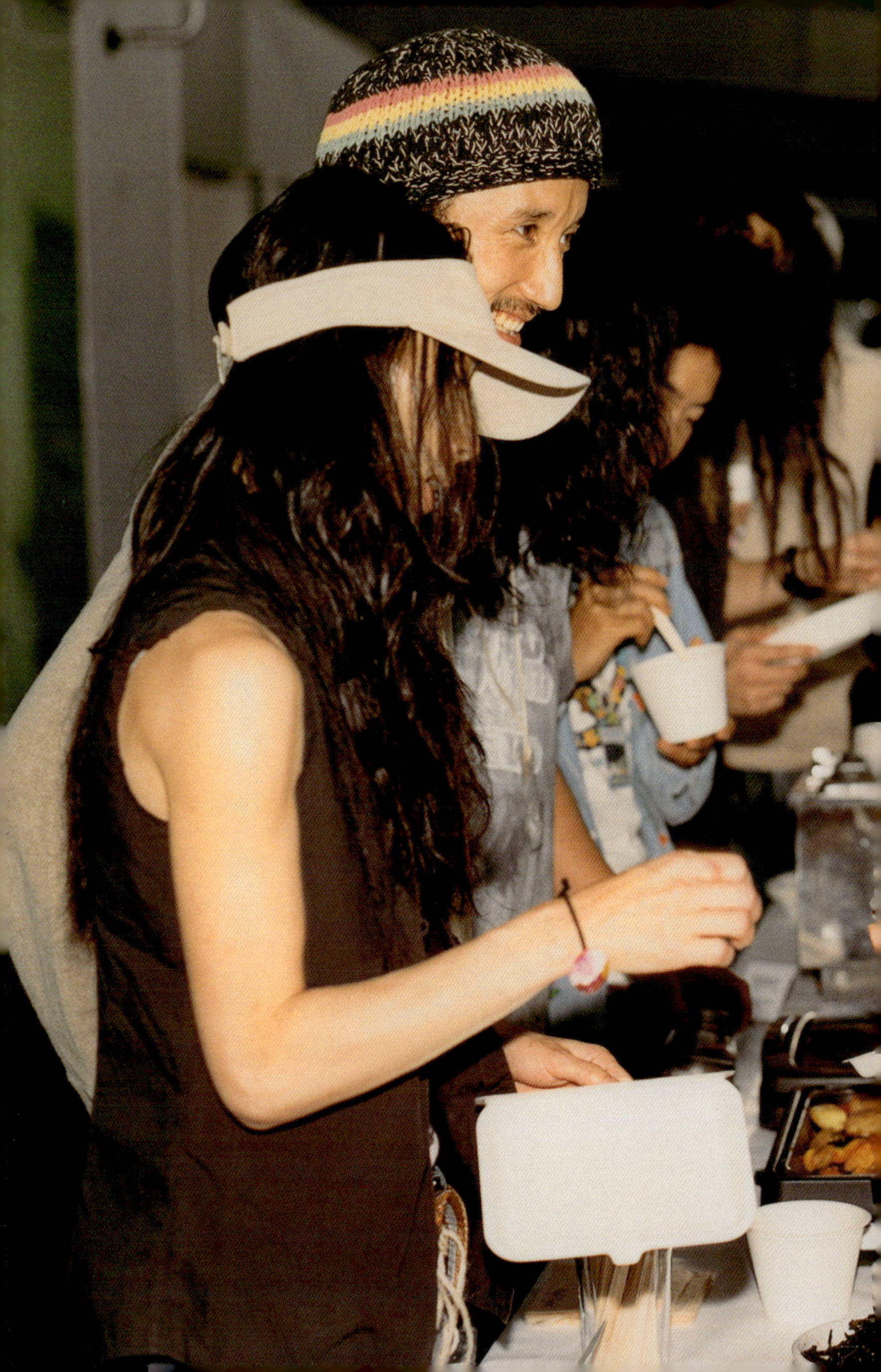

@ GREEN ROOM FESTIVAL 2006

ケイタリングサービスの風景。この日は横浜の大桟橋ホールで行われたサーフ系音楽イベント、グリーンルームフェスティヴァルへの出張です。出演者にヴィーガンやベジタリアンが多いことから、カフェエイトに"まかない"の依頼をいただきました。メニューは野菜＆豆のカレー、トーフステーキのサンドイッチ、オリエンタル焼そば、バナナブレッドなど。

CAFE EIGHT STAND IS WORKING

グリーンルームフェスティヴァルでは、ライブ会場に屋台も出店。カフェエイトスタッフはまかないブースのある楽屋と屋台を行ったり来たりのフル稼動です。イベントのフードブースでヴィーガンフードの出店があることはとてもまれで、ベジタリアンやヴィーガンの人は選択肢がなく困っていたはず。カフェエイトはその選択肢を増やし、定着させていきたいと思っています。

8
Cafe Eight

POSITIVE FOODS MAKE YOU SMILE

出演していたレゲエバンド"DUBSENSEMANIA"のPJ。カフェエイトを良く知る彼。「久しぶりに食べたけどカフェエイトのカレーはやっぱりサイコー!」

イベントに出展していたブースのスタッフとして働いていた彼女。「お肉が入っているのかと思いました!ベジじゃないみたい」

ライブペインティングを終えたばかりのニューヨーク在住のペインター、マイク・ミン。"Cafe Eight, Saikooooh! Wow, wasabi makes me cry! Hahah.."

出演アーティストの衣装を担当していたお母さんといっしょに来場していた彼。「おいしい?」とお母さんに聞かれて「うん! おいしいよ」とサンドイッチをパクリ。

MISHKA IS HAVING VEGAN BENTO

サーフ・ミュージックの大御所ミシュカは、ヴィーガンとしても知られています。その彼がカフェエイトのケイタリング・フードで出番前に腹ごしらえ。「これは何が入ってるの？ 全部ヴィーガン？ ほんとに？ 出演者みんなが食べる食事がヴィーガンだなんてすごく嬉しいよ」。海外からの他の出演者やスタッフにも"まかない"はとても好評でした。

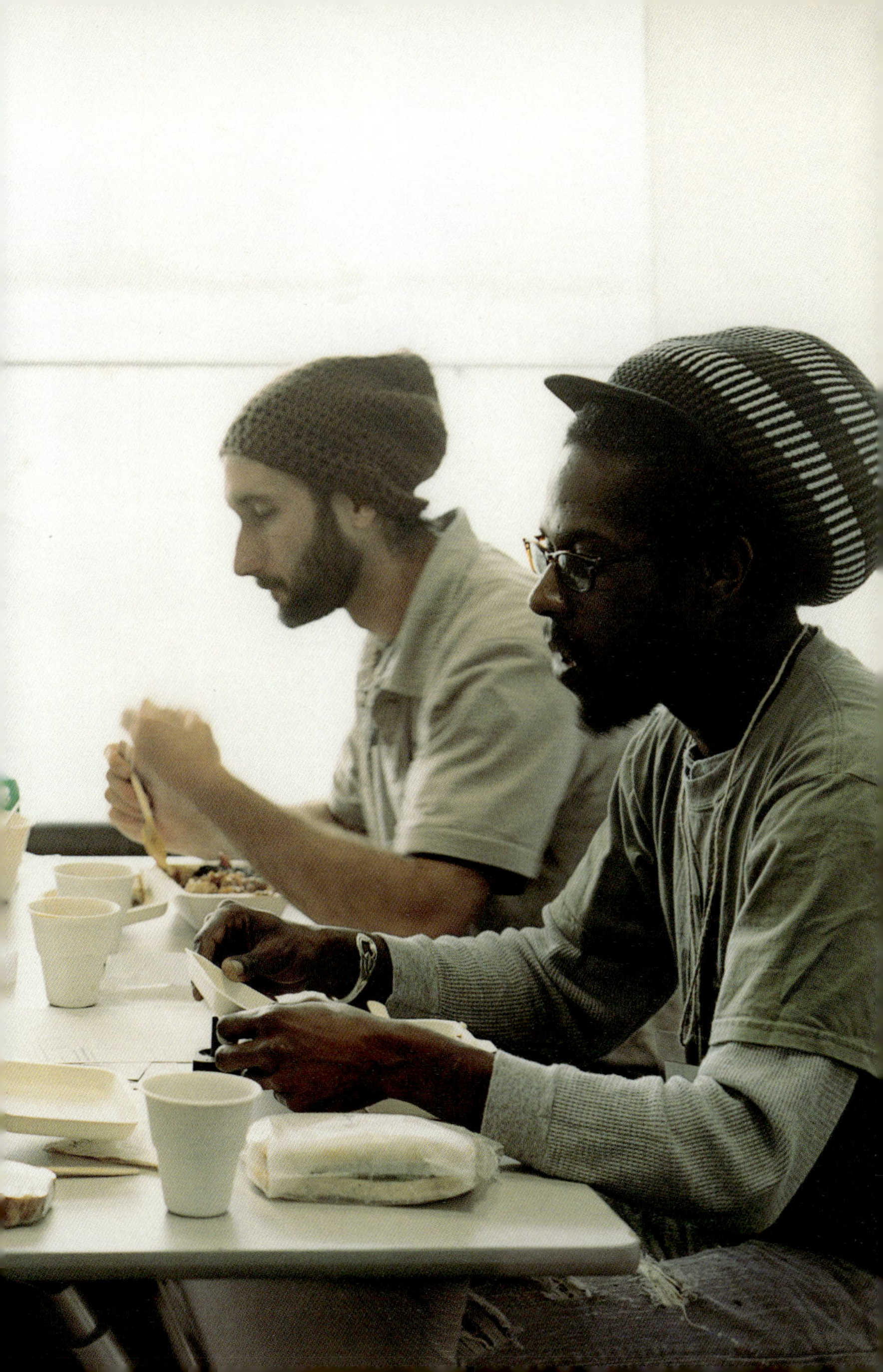

AFTER THE SHOOTING

SPECIAL THANKS

Bill Werlin (Patagonia)

Hiromi Seki

Katsuhiro Kondo (Patagonia)

Kozo Takayama

Mai (Magnolia)

Mike Ming

Mishka and his crew

Naoki Kamayachi (Green room inc.)

PJ (Dubsensemania)

Ras Takashi (Dubsensemania)

Riku Komiya and Kurumi Arimoto

Ryutaro Yoshida (Prestige Japan Inc.)

Yohei Shimayama (Green room inc.)

VEGE BOOK
Eat Your Vegetables!

著者:Cafe Eight

Photography by Akiko Arai
写真:新居明子
Art Direction and Design by Reiko Kiyono + Akiko Kawamura (Double Ow Eight)
アートディレクション・デザイン:清野玲子+川村明子(ダブルオーエイト)
Edited by Masanobu Sugatsuke + Yuriko Fujihara (Sugatsuke Office,Ltd.) Motoi Kato (Little More)
編集:菅付雅信+藤原百合子(菅付事務所) 加藤 基(リトルモア)

First Published in Japan in October 2006 by Little More Co.,Ltd.
2006年10月7日　初版第1刷発行
2010年12月1日　初版第7刷発行

Published by Sun Chiapang (Little More)
発行者:孫家邦
発行所:株式会社リトルモア

3-56-6 Sendagaya Shibuya-ku Tokyo Japan 151-0051
〒151-0051 東京都渋谷区千駄ヶ谷3-56-6
TEL 03-3401-1042
FAX 03-3401-1052
E-Mail info@littlemore.co.jp
URL http://www.littlemore.co.jp

Printing:Tosho Printing Co.,Ltd.
印刷:図書印刷株式会社
Bookbinding:Shibuya Bunsenkaku Co.,Ltd.
製本:株式会社渋谷文泉閣
© Cafe Eight / Little More 2006
Printed in Japan
ISBN978-4-89815-188-4 C0077
All Rights Reserved. No part of this book may be reproduced
without written permission of the publisher.
定価はカバーに表示してあります。乱丁・落丁本は送料小社負担にてお取り替えいたします。
本書の無断複写・複製・引用を禁じます。